建築屋の憂国

神行武彦

K&Kプレス

まえがき

読者の皆様へ

本書をお手に取って下さり、誠にありがとうございます。

私は生まれ育った兵庫県三木市で二十代から建設業を営み、還暦を少し過ぎた現在、それなりに社会に貢献もできたと自負しております。

しかし、過去には私が代表を務める会社の経理担当者による五億円もの横領事件、それに端を発した私の不当逮捕など一般の方にはありえない経験もたくさんしてまいりました。

横領事件と私の逮捕・起訴につきましては、令和三年に『5億円横領された社長のぶっちゃけ話』（清談社パブリコ刊）で詳しく書かせていただきましたが、これまでのさまざまな経験を通じて見えてきた日本の政財官の問題点について、どうしても書きたくなり、改めて筆を執ることにいたしました。

建設業ひとすじで生きてまいりましたので、いかんせん素人臭い駄文ではございますが、ぜひお読みいただき、ご感想など賜れば望外の喜びです。

令和五年十二月吉日　神行武彦

第二章　こんな日本に誰がした？……67

第三章　「大阪万博」は日本の問題の集大成

第四章　建設業界から見た日本

第五章　なぜ税金のムダ遣いはなくならないのか……199

第六章　永田町と霞が関を変えるには………229

あとがき………270

序章 知覧にて

本書の執筆を思い立った理由は幾つもあるが、とりわけ日本のために戦って散った若い兵士たちに申し訳ないという気持ちが強い。

先の大戦では、未成年を含む多くの兵士たちが家族や友人らに日本の未来を託して笑顔で敵地へ向けて飛び立って行った。

その思いが通じ、大敗を喫して焼け野原となった日本は奇跡的なスピードで復興を遂げ、欧米に肩を並べる経済大国に成長したのである。

世界が日本は素晴らしいと絶賛した。

だが、その威光も昭和の終わりの不動産バブルが終わった時からしぼみ始め、国民の賃金は三十年以上も上がらず、少子高齢化が加速している。

なぜこんなことになってしまったのか……。

私は、折りにふれて鹿児島県の知覧特攻平和会館（鹿児島県南九州市知覧町）と万世《ばんせい》特攻平和祈念館（鹿児島県南さつま市）を訪れ、東京に滞在する時は、必ず靖国神社に参拝する。

英霊に感謝するのは、日本人の当然の務めだと思うからだが、最近はお詫びをしたい気持ちが強い。

「あなたたちが生命を賭けて守ってくださった日本を堕落させてしまって、申し訳ありません」という気持ちで知覧へ、靖国へ向かうのだ。

国内には多くの戦争資料館があるが、特攻隊員の歴史を伝える知覧と万世の資料館には格別な思いがある。

私は令和五年の秋を含めて五回ほど訪れているが、そのたびに日本を守るために散った若い兵士の志に思いを馳せ、今の日本の救いがたい状況に落胆する。

日本はもはや後進国である。

この二つの資料館には、第二次世界大戦（昭和十四年—二十年）において行われた「特攻」という作戦に関する資料が展示されている。

「特攻」とは、「特別攻撃隊」の略であり、「特別攻撃」の略でもある。

この名称が最初に使われたのは、昭和十六年十二月八日のハワイ真珠湾攻撃だが、終戦前年の昭和十九年十月のフィリピン・レイテ沖海戦に際して編成された「神風《しんぷう》特別攻撃隊」

がよく知られている。

いわゆる「カミカゼ特攻隊」である。

これは、第一航空艦隊司令長官であった大西滝治郎海軍中将が発案・命名した「爆弾を装備した飛行機で敵艦艇に体当り攻撃する」という前代未聞の戦法であった。

最初に編成された「敷島隊」は米軍の空母の突入に成功するなど、当初はそれなりの成功を納めており、陸軍航空隊も採用している。

のちには魚雷に乗り込んで敵艦に体当たりする人間魚雷「回天」、小型ボートに爆薬を詰めた水上特攻艇「震洋」、爆弾にロケットをつけた人間操縦滑空爆弾「桜花」、海中で待ち伏せて上陸時を奇襲する「伏竜」、滑走路破壊などのために敵の飛行場に落下傘で強行着陸して滑走路などを破壊する空挺特攻「高千穂降下部隊」や「義烈空挺隊」などの「特攻兵器」が次々と考案されている。

いずれも短期間で計画されたので付け焼刃的なところもあり、出陣どころか過酷な訓練の途中で亡くなる兵士も少なくなかったという。

『帝国陸軍の最後（特攻編）』（伊藤正徳著、角川書店・昭和四十八年）によると、終戦の二日前まで続いた特攻作戦で、海軍は二千五百三十五人、陸軍は千八百四十四人が死亡している。

今思えば無茶苦茶な話だが、これを笑える人はいまい。

いずれも隊員は生還できない戦法であるにもかかわらず、出撃前夜も当日も兵士たちは笑顔でおだやかに過ごしたといわれている。

知覧飛行場は昭和十六年十二月に完成、三年間で約六百名のパイロットが養成され、二十年三月に沖縄方面に向かう特攻機の最前線基地となった。

陸軍沖縄戦の特攻隊員千三十六名のうち最多の四百三十九名が知覧から出撃した。

知覧はもともと「鹿児島の小京都」と呼ばれるような古い静かな街として知られていたが、沿道には飛行場から飛び立った特攻兵士の慰霊のための燈籠が並び、戦争の歴史を伝えている。

また、令和三年にリニューアルされた万世特攻平和祈念館のある陸軍最後の特攻基地「万世飛行場」は、昭和十八年夏から十九年末にかけて建設された。

四か月しか使われなかったが、ここからも十七歳の少年飛行兵を含めて二百人もの若い特攻隊員が飛び立っている。

ここには、海底から引き揚げられた国内唯一の「零式水上偵察機」のほか、隊員たちの決意を綴った「血書」、遺影や遺品、家族や恋人に宛てた手紙などが展示されている。

「自分は生きて帰らないが、日本のことを頼む」

十代から三十代前半の若者たちは、みな異口同音にこう言って、日本の未来のためにむしろ喜んで生命を捧げ、海に散っていったのである。

特に私の胸に残るのは、藤井一《はじめ》中尉である。二十九歳で出撃し、戦死によって少佐に特進している。

中尉は、ずっと航空特攻隊員を志願していたが、少年兵を指導する教官であること、妻子がいることなどを理由に許可されなかった。

奥さんも最初は反対してケンカばかりしていたというが、夫の強い意志を知り、なんと二人の子どもを連れて埼玉県熊谷市の荒川で入水自殺をしたのだ。

「私たちがいては後顧の憂いになる。一足お先に（天国に）行って待っています」

奥さんの伝言には、こうあったといわれる。

中尉は、その五か月後に特攻機に乗り込み、沖縄の海に散っている。

平成十年には、中尉の郷里である茨城県菅原村（現・水海道市）で五十三年ぶりに親子四人の墓が整備されたことが報道されている。

実弟らが墓を改装し、別々に埋めていた藤井中尉の髪の毛や爪を妻子三人の遺骨と一緒に一つの瓶に入れて埋葬したという。藤井中尉と家族の話を知って、実弟の二郎さんを訪ねてくる人も多いそうだ。

茨城の農家に七人兄弟の長男として生まれた中尉は、十九歳で歩兵連隊に入り、後に陸軍航空士官学校に転科、卒業後の昭和十八年に熊谷陸軍飛行学校（熊谷市）に生徒隊中隊長として着任した。

中尉は、二百人以上の若い少年兵らに精神訓話などを説く職務にもついており、「お前たちだけを戦地に行かせはしない。おれも必ず行く」といつも話していたという。

終戦まで三か月となった昭和二十年五月二十八日、藤井中尉を隊長とする特攻隊「第四十五振武《しんぶ》隊」は知覧基地から沖縄沖の米戦艦を目指して出撃した。

知覧の資料館には、藤井中尉の手紙が遺されている。

亡き娘に宛てた、読まれることのない手紙で、中尉の妹さんが保存していたという。

「冷えた十二月の風の吹き荒ぶ日、荒川の河原の露と消し命。

母と共に殉国の血に燃ゆる父の意志に添って、一足先に殉じた哀れにも悲しい、然も笑っている如く喜んで、母と共に消え去った、幼い命がいとほしい。

父も近くお前たちの後を追っていけることだろう。

嫌がらずに今度は父の暖かい懐で、だっこして寝んねしようね。

それまで泣かずに待っていて下さい。

千恵子ちゃんが泣いたら、よくお守りしなさい。

では暫く左様なら。

父ちゃんは戦地で立派な手柄を立ててお土産にして参ります。

では一子ちゃんも、千恵子ちゃんも、それまで待ってて頂だい」

中尉は国のため、家族のために喜んで出撃していったのだ。

こうした若者たちの犠牲があってこその日本の戦後の復興だったはずだ。

藤井中尉とともに知覧から飛んだものの、米機の攻撃を受けて海に墜落して近隣の島民に救出された少年兵もいる。

生き残る身も辛かったと思うが、藤井中尉や特攻の話を語り継ぐ貴重な存在となっている。

「お前たちの命をおれにくれ」

少年兵は藤井中尉にこういわれ、自身の心の動揺は収まったという。野球や武道の試合の日と同じように負けないことだけを考えて出撃している。

この元・少年兵によると、他にも救出された特攻兵士がいたが、せっかく助かったのに、島から鹿児島へ小舟で戻る途中に波にさらわれて亡くなったという。

死ぬ思いで鹿児島に戻ったのに、その三日後に終戦を迎えた少年兵は情けなくて涙が出たという。

しかたなく実家に戻ると、自分の位牌が作られていた。

そんな時代であった。

今でもときどき出撃命令を受ける夢を見て、躊躇なく飛行機に乗り込むところで目が覚めるという。

笑って散った者、生き残って特攻の様子を伝える者。たくさんの犠牲によって日本は焼け野原から奇跡的な復興を遂げた。

生き残った兵士たちは、英霊となった兵士たちの後を追いたい気持ちを抑えて、必死で日本を立ち直らせたのだ。

英霊に心で詫びながら、日本の復興のために一生懸命に働いたのである。

英霊たちは今の日本を草葉の影で憂いているだろう。

三十年以上も賃金は上がらず、政治家は官僚のいいなりで、どんどん日本を沈ませている。

本当に英霊に申し訳ない。

兵士らは生きていれば家族に恵まれ、うまいものを食べたり、マイカーで出かけたりして人生を楽しめたはずだ。

日本の未来のために生命を投げ打った人たちを忘れまいと、私は何度でも知覧へ、靖国へと向かう。

なお、岩波書店の創業者・岩波茂雄は、「昭和十三年十月靖国神社大祭の日」に岩波新書創刊の辞を書いている。『岩波新書解説総目録（一九三八―二〇一九）』に再録されているので、少し引用したい。

昭和十三年といえば五月に国家総動員法が施行され、十二月には重慶爆撃が国際的に問題になるなど、戦時色が強まっていた時期である。

前年に始まっていた日中戦争の過程で、当時の中華民国の首都であった重慶を大日本帝国陸海軍航空部隊が空襲して「無差別攻撃」と批判されたが、日本は「大勝利」を喜んでいた。

岩波書店は「左翼」のイメージが強いが、岩波茂雄は「明治の男」として、こう書いている。

「今、空前の事変に際会し、世の風潮を顧み、新たに明治時代を追慕し、維新の志士の風格を回想するの情切なるものがある。

皇軍が今日威武を四海に輝かすことかくの如くなるを見るにつけても、武力日本と相並んで文化日本を世界に躍進せしむべく努力せねばならぬことを痛感する。これ文化に関与する者の銃後の責務であり、戦線に身命を曝《さら》す精兵の志に報ゆる所以《ゆえん》でもある。

吾人《ごじん》（＝我）市井の一町人に過ぎずと雖《いえど》も、文化建設の一兵卒として涓滴《けんてき》の誠を致して君恩の万一《まんいつ》に報いんことを念願とする」

敵地へ向かう兵士たちのためにも日本の文化を守って出版を続けるという岩波の決意は、誰が引き継いでいるのか。


特攻隊とともに、私が尊敬しているのが、陸軍の小野田寛郎（おのだひろお・大正十一年～平成二十六年）予備陸軍少尉である。

もはや「昔話」となってしまったが、日本が大戦で負けて降伏したことを信じず、フィリピンのルバング島のジャングルで三十年にわたってゲリラ戦を続けていた日本兵だった。

小野田さんは、伝説のスパイ養成機関である陸軍中野学校で訓練を受けて終戦の前年である昭和十九年にルバング島に派遣され、戦後もそのままとどまっていた。現地で撤かれていた「降伏命令」のビラを「敵の謀略」と考えてジャングルに潜行し続けたが、遭遇した日本人の青年から投降を説得されている。しかし、上官の命令がないことを理由に拒否したために、かつての上司が島に赴き、任務解除命令を下したという。こうして小野田さんは四十九年二月に帰国、日本中が大騒ぎになった。

なお小野田さんが帰国する二年前の昭和四十七年二月には、横井庄一軍曹が帰国して大ニュースになっている。敗戦を知りながらグアム島のジャングルにやはり三十年近く潜んでいた。

当時は私もまだ子どもだったが、これらのニュースはよく覚えている。
日本人のほとんどは戦争を忘れて経済の高度成長に酔っていたのに、いきなりかつての戦争を思い出させられたのだ。

まだ戦っている日本兵がいたことはかなりショックだった。

小野田さんが帰国した「昭和四十九年」という年は、十年も前に東京オリンピックが行われ、「もはや戦後ではない」といわれた三十一年からさらに八年も経っている。

まさに浦島太郎だったのだ。

小野田さんは約三百人の日本兵とともにフィリピンに派遣されたが、終戦当時、島には四十四人の日本兵が生き残っていたという。

終戦の翌年・昭和二十一年までに四十人が投降したが、小野田さんはスパイの密命を帯びており、帰るわけにはいかなかった。

「日本が占領されても連合軍と戦い続ける」という計画があり、陸軍中将・横山静雄軍司令官から「玉砕せず最後の一兵となっても戦い続けよ」という訓示を与えられていたのだ。

死なずに戦う――これは、陸軍の「中野学校」の独特の哲学である。

特攻隊とは真逆の発想で、日本を守っていたのだ。

生まれ育った村で数人しか通えない旧制中学を卒業して貿易商社に勤めていた小野田さ

んは、英語と中国語が堪能だったことから、「エリート集団」の中野学校で訓練を受けることになったようだ。

軍事諜報に関する知識・技術の講義を受け、「軍事諜報員」として養成されていたのである。

中野学校で学んだ知識と、上官の命令しか聞かない一途さで過酷なジャングルを生き抜くことができたのだ。

日本政府は昭和二十七年ごろから数度にわたって小野田さんと仲間の元陸軍一等兵・小塚金七さんの救出を試みていたが、発見できずに三十四年には二人の「死亡広報」を出して捜索を打ち切っている。

小塚さんは、小野田さんが帰国する二年前の昭和四十七年十月にフィリピン警察との銃撃戦で亡くなっていた。

帰国した小野田さんが見た東京は、高速道路や東京タワー、新幹線などが整備された戦前には考えられない映画のセットのような「未来都市」であった。

肌に合わなかったようで、小野田さんは帰国後に結婚した妻とともに次兄の暮らすブラジルに移住している。

ブラジルと日本を行き来しながら、戦争や教育に関する講演活動や、子どもたちのための塾を作るなど、晩年まで社会に貢献された。亡くなったのは東京で、九十一歳になっていた。

亡くなる直前まで講演を続けていた小野田さんの言葉は、今も私の胸にとても響く。目の前でフィリピン警察に射殺された小塚さんとの思い出や、ジャングルでの生活の厳しさについても、著書に残されている。

「あのころ、私たちのそばにはいつも『死』がありました。戦前、人々は命を惜しむなと教えられ、死を覚悟して生きた。今の平和はもちろんいいことですが、逆に死を意識しない分、何かを命懸けでやることがなくなったように感じることがあります」

著書には、こうあった。

ジャングルでは、食べるものどころか安全な水の確保すら難しく、寝ている間も野獣の襲撃には注意を払わなくてはならない。寄生虫もいるし、ちょっとしたケガも命取りだ。

危険な場所、安全な水のある場所などはすべて頭に叩き込んでいたという。まさに「必死」で生きてきたのだ。

「日本人は何かを命がけで行うことを否定するようになっています。しかし、死を意識しないことで、『生きる』ことそのものまでもおろそかにしてはいないでしょうか」

「どうか悩むことなしに、『自分にはやれるはずだ』と思って生きてください」

小野田さんは、こう説く。

まさにそのとおりで、現在の日本の衰退は「死」の覚悟がないことに原因があると思った。

また、子どもたちに自然界の大切さや厳しさを教える塾では、やさしく語りかけていた。

子どもたちには、「自分が強くならないと、人にやさしくできないよ」と話していたという。

「友だちが裸で寒さに震えている時、自分の上着が脱げる？　脱げば自分が寒くなるけど、脱いで貸してあげて、初めて『やさしい』といえます。

『寒さに震えてかわいそうだな』と思うだけだったら、指を差して笑っている野次馬と一緒です」

私の考える「強さ」も、こういうことだ。

むやみに暴力をふるうのなら、誰にでもできる。小野田さんのように、人にやさしくするための「強さ」が重要なのだ。

自然塾の敷地には、「不撓不屈《ふとうふくつ》」と書かれた石碑があった。

「子どもたちには、目標を簡単に諦めない、執念深く、しぶとく、くじけずにがんばってほしい。そして誇りを持って、やさしい日本人であってほしい」

子どもたちへの色紙には「泣くな、負けるな」と書いたという。

「赤ちゃんじゃないんだから泣くな」ということ、そして「負けるな」は「自分に負けるな」ということだった。

「人と争うのでなく、今日は眠いから、あるいは寒いから学校に行きたくないとか、そういう弱い自分に負けちゃいけないと教えるんです」

すべての日本人がこのように生きたなら、すぐに日本は立ち直る。それがなぜできないのか。

小野田さんの思いは、まったくかなわないまま令和の時代も五年を過ぎた。

令和六年という年は昭和九十九年でもある。
歴史的といえる百年を迎え、日本という国のあり方が試されることになる。
昭和の時代の戦争や大災害を教訓に、私たちはどう生きればいいのかを考えたい。

第一章　週休二日制亡国論

国民の生活は苦しいのになぜ働かないのか

世の中で納得できないことは多いが、私は週休二日制をめぐる議論は特に納得できない。国民が貧しくなっている今、もっと働けばいいと思う。

別稿でも詳しく述べるが、日本は三十年以上も賃金が上がっておらず、「生活にゆとりがない」とする声は日増しに強くなっている。

たとえば日本銀行「生活意識に関するアンケート調査」（第95回・対象期間は令和五年八月四日から九月一日）では、令和四年以降、「物価が上がった」あるいは「生活にゆとりがなくなった」とする声がどんどん増えていると分析している。

調査によると、「一年前と比べて物価が上がった」と答えた人の割合は、「かなり上がった」が六十八・四パーセント、「少し上がった」が二十七・一パーセントで、併せて九十五パーセントにのぼり、前回の調査と並んでこれまでで最も多くなったという。

また、一年後の物価についても「かなり上がる」と「少し上がる」を併せると前回から〇・五ポイント上がった八十六・八パーセントに上っている。

さらに、生活が「大変苦しい」と「やや苦しい」との回答は併せて五十一・三パーセントと半数を超え、「普通」が四十二・一パーセント、「ややゆとりがある」が五・五パーセント、「大変ゆとりがある」が一・一パーセントにとどまっている。

「生活にゆとりがなくなってきた」は前回より〇・六ポイント増えて五十七・四パーセントとやはり半数を超え、「ゆとりが出てきた」は、前回より一ポイント減って三・一パーセントであった。ゆとりがなくなった理由で最も多かったのは「物価が上がったから」（七十九・八パーセント）であった。また、世帯の構成で見ると、「苦しい」の割合は、「高齢者世帯」が四十八・三パーセント、「児童のいる世帯」が五十四・七パーセントとそれぞれほぼ半数の生活が苦しいことがわかる。

これだけ生活が苦しいと思っている国民が多いのに、政府はなぜか「働き過ぎ防止」にこだわり、「働き方改革」を進めてきた。

この改革は、平成三十年に公布された「働き方改革関連法」（「働き方改革を推進するための関係法律の整備に関する法律」）によって、

一　残業時間の上限規制
二　「勤務間インターバル」制度の導入促進（昼夜勤務の場合、勤務終了後から翌日の出社までの間に、一定時間以上の休息時間、インターバルを確保する）
三　一年で五日間の年次有給休暇の取得（企業に義務づけ）
四　時間外労働が一か月に六十時間を超えた際の割増賃金率を五十パーセントに引上げる
五　労働時間の客観的な把握（裁量労働制も含めて企業に義務づけ）
六　フレックスタイム制の拡充
七　「高度プロフェッショナル制度」の創設（年間の賃金が少なくとも千七十五万円を超える専門的労働者・プロフェッショナルに対しては一定の要件を満たせば労基法上の労働時間関連の割増賃金を適用しない）
八　産業医・産業保健機能の強化（労働者の健康管理の体制整備）

の八点を中心に進められているが、要するに、「働き方改革」とは、週休二日制と時間外労働の規制を中心にした「働かない改革」なのだ。

しかし、生活が苦しいなら、働けばいいのではないか。

働かずに豊かにはなれないのだ。

働き方にも「多様性」を

令和に入ってから、テレビや新聞で毎日のように「多様性」という言葉を見かけるようになった。

だが、そもそも「多様性」とは何なのか。

人種や性別、性的指向などが「人それぞれ」である、ということだろう。

では、なぜ働き方に「多様性」が認められないのか。

業種や職種によっていろんな働き方があっていいはずなのに、政府は一律に「週休二日」しかも「土日休み」を押し付けてくるのはなぜなのか。

しかも、日本には年間に国民の祝日が十六日もあり、そのほかに盆休みや年末年始休みを設定している企業は多く、年次有給休暇も多すぎる。

労働基準法第三十九条では、雇い入れの日から六か月勤務して、八割以上を出勤した労働者に対して、六か月で十日、一年六か月で十一日、二年六か月で十二日、三年六か月で十四日と増えていき、六年六か月以上は二十日の有給休暇を与えることとしている。明らかに休みすぎである。取得率は国際的にみると低いといわれているが、令和四年の取得率は過去最高の六十二・一パーセント、前年から〇・六日増えている。ただし、政府が『過労死防止大綱』で掲げる「2025年までに七十パーセント以上」の目標とはなお開きがある。

取得率を企業規模別に見ると、「千人以上」が六十五・六パーセントを占め、「三十人〜九十九人規模」は五十七・一パーセントと半数レベルである。

業種別では、郵便局などの複合サービス事業が七十四・八パーセントで最も高く、宿泊・飲食サービス業が四十九・一パーセントで最も低かった。

この消化できない年休を企業が買い取れないのも、私はおかしいと思う。

年次有給休暇の目的は、労働者の休養だから、買取りはまかりならんということである。行政解釈では、「年次有給休暇の買上げの予約をし、これに基づいて法第三十九条の規定により請求し得る年次有給休暇の日数を減じ、ないし請求された日数を与えないことは、法第三十九条の違反である」（昭和三十年十一月三十日 基収第四七一八号）とある。

もちろん退職の時もダメだから、会社によっては退社直前にまとめて取らせるので、「実際に退職する日」と「出社しなくなる日」が一か月くらい違うのもザラである。

「週休二日制」はどこから来たか

そもそもなぜ一週間に二日も休まなくてはならないのか。

もうそこから私には理解できないが、これからは週休二日制に対応できない小さな会社はどんどん倒産したり廃業したりしていくことになり、日本はますます衰退する。

辞書によれば、古くからキリスト教が日曜日を「安息日」としてきたが、日本の場合は戦後まで週休制そのものがなかったようだ。

日本大百科全書電子版（小学館）によると、日本では昭和二十二年に制定された労働基準法で、「使用者は、労働者に対して、毎週少くとも一回の休日を与えなければならない」

ことを定めている（第三十五条）。

また、休みは毎週でなくてもよく、「四週間に四日以上の休日」を与えればよい、ともしている。いわゆる変形労働時間制である。

つまり労働基準法が制定されるまでは、週に一回の休みも法律的にはなかった。昔は農林水産業など第一次産業がほとんどだから、雨や雪の日に休めばそれでよかったのだろう。西暦の「曜日」はなくても、正月やお盆、祭りの日には休んでいたので、けっこう休めていたようだ。

戦争中も「月月火水木金金」と国民が一丸となってがんばっていた。今も戦争並みの非常事態だと思えば働けるのではないか。

欧米でも週休二日制が定着したのは戦後からだそうで、日本では昭和三十五年頃から隔週の週休二日制が採用され、徐々に休日が増えたようだ。

役所の「週休二日」を推進したのは、労働大臣や国土庁長官、北海道開発庁長官などを歴任した原健三郎である。労働法令協会から『週休二日制のとき到る』と題する冊子も出版している。

読売新聞（令和四年四月二十二日付電子版）によると、昭和四十九年三月十七日付の朝刊が「週休二日制　労働者の半数超す　労働省調べ」と報じている。

週休二日制を実施する企業が前年の十三・二パーセントから三十パーセントへ大幅に増え、適用労働者数では三十五・九パーセントから五十四・七パーセントになり、五割を超えたという。急速に広まってきたが、当時はまだまだ大企業が中心であった。

週休二日制に意欲的な原健労働大臣に対して、自民党内には「国家公務員を週二日も休ませるとは」という反対論もあったという。

明治四十年に現在の兵庫県淡路市で生まれた原は、早稲田大学政治経済学部政治学科に入学、学生の頃から政治家を目指していたというが、アメリカ留学を経て入社したのは、なぜか出版社の講談社であった。総合誌『現代』の編集などを担当している。のちに衆議院議員として当選二十回を数えたが、選挙のたびに妻とともに土下座して支持を訴えるパフォーマンスは有名だった。

また、映画の原作や脚本も手がけており、小林旭主演の映画『渡り鳥』シリーズの原作者としても知られていた。

なお、平成元年からは月二回の土曜閉庁が実施されている。

三十五年前あまり前には、役所がまだ土曜日に開庁される日もあったのだ。

一方で、学校の週休二日制はなかなか進まなかった。昭和六十一年十一月二十五日付けの朝刊には、学校の週休二日制について「六割が反対」とする総理府の調査結果を紹介している。

反対意見としては、土曜日の授業を平日に増やされることや導入しない私立校との格差などが挙げられていた。国公立学校で週休二日制が導入されたのは平成十四年である。

「2024年問題」という問題

建設業界の現場にいると、人手不足よりも「2024年問題」のほうが深刻に思える。あまり報道されていないが、建設業界は、この「2024年問題」で、大激震である。

令和六年すなわち二〇二四年には、働き方改革関連法で「残業時間の上限規制」の猶予期間が終わり、私が長年身を置いてきた建設業界のほか医療、運送業界などに「完全週休二日制」が義務づけられる。

問題は、残業させたら、使用者に懲役刑まで含む罰則までつけられていることである。若い者にたくさん仕事をさせて稼がせたら、普通なら喜ばれるのではないか。

なぜ社長が刑務所に行かなくてはならないのか。

これは絶対に無理である。

建設業は、雨や大風など天候に左右されやすく、屋外の作業ができない日も多い。運送業も天候次第で運べないこともあるし、医療も同じである。他人様の生命をあずかる医療業界が急病患者を放置して許されるのか。

これは、現場を知らない高級官僚が机上で組み立てた論理である。

「土日を休みにしないと人手が集まらないなら、土日を休みにすればよい」という発想は、日本国民が全員、空調の効いた部屋でデスクワークをしていると思っているからではないか。

平日に雨や雪が降って工事ができない場合、土日に工事をしなければ完成が遅れるのは、子どもにもわかる話である。なぜ何が何でも土日を休みにしなくてはいけないのか。

建設業界は、一般の住宅や企業のオフィスを作り、災害対策としての河川の整備や災害後の復旧作業など、日本の根幹を担っている。これらの作業が「時間外労働は法律で禁じられているから」と滞ってしまったら、本当に日本は壊れてしまう。

この「2024年問題」については、日本経済新聞（令和五年九月七日付電子版）が次のように解説している。

「2024（令和六年）年四月からトラック運転手などの残業時間の上限規制が始まることで、人手不足や配送の遅れが懸念されている。一人あたりの運転時間が制限され、企業は追加雇用や配送量減などを迫られる。労働時間が減るドライバーも、働きやすくなる一方で収入が減る懸念がある。労働時間の調整で年度末に配送が滞りやすくなるといった見方もある。

残業時間の上限は年九百六十時間で、併せて終業から始業までの休息時間（勤務間インターバル）を八時間以上から九時間以上に引き上げるといった措置も行う。働き方改革関連法の施行に伴うもので、長距離輸送など長時間労働が常態化している運送業では早期の対応が難しいことから五年間適用を猶予していた。

ドライバーなど自動車運転業のほか、建設業や医師でも同時に上限規制が始まる。
建設業は年七百二十時間までで、災害復旧時は特例的に月間の上限を撤廃する。
医師は地域医療の維持などの理由があれば最大で年千八百六十時間まで残業が可能だ。病院が事前に都道府県の指定を受ける必要がある」

これらは、先にふれた「働き方改革関連法」を根拠としている。

平成三十一年四月に施行された時間外労働規制では、「全業種で月四十五時間・年間三百六十時間まで」とされている。

しかし、運輸業界と建設業界、医療の現場については、すぐには適用されず、規制が猶予されてきた。その猶予期間が「二〇二三年いっぱい」とされていたのだ。

日本経済新聞の解説のとおり、「二〇二四年」には運転士らの運輸業界の残業は九六〇時間、建設業は年間の残業上限を最大で七二〇時間までとされ、医師は一八六〇時間とされるのである。

また、残業手当が高くなっていることも、会社の経営には大打撃である。

月六十時間を超える時間外労働の割増賃金率は、令和五年四月に二十五パーセントから五十パーセントに上がっているのだ。これも経営者としては頭が痛い。

災害復旧など臨時の必要がある場合は、上限規制の適用を除外する規定があるが、労働時間を短くしただけでは人手不足を解消できるとは思えないし、実際にそうなっている。

そもそも以前から人手不足なのに、こんなに残業が規制されては、ビジネスが成り立たない。

運輸や医療業界も同じである。

一律に時間外労働を規制するのではなく、現場の事情に合わせて四週八休制などの変形労働時間制を採用すべきだと思う。

特に今でも人手が少なく、医師がほとんど休みを取れていない地域医療は大打撃を受けるだろう。

まず夜間救急の対応はできなくなり、救急搬送された患者を受け入れられなくなるし、外科医師の一週間の手術の件数も減る。癌や心臓疾患など重篤な症状であっても、夜間の子どもの発熱に対しても、手術や診療を待たされることになる。

また、産科医が出産に立ち会える時間も制限される可能性がある。これはどう考えてもおかしい。

　こうした問題に対しては、複数の医師が複数の患者を受け持つチーム体制が考えられているという。チーム内で夜勤を交代するシステムであるが、医師の数にも限りがあるので、どうなるかわからない。

　また、運輸業も深刻だ。物流に大きな影響が出るのは必至であるが、何の対策も講じないまま時間外労働規制は「見切り発車」されることになる。

　人手が圧倒的に少ないのに、なぜ労働時間だけを短縮するのか。

　輸送や保管、放送など物資流通の円滑化について調査・研究をしている日本ロジスティクスシステム協会によると、平成二十七年に七十六万人いた貨物輸送のドライバーが令和十二年には三割減ると試算されている。

　人手不足対策としては、荷物の積み下ろしなどの作業用ロボットや、自動運転の無人搬送車の搬入、トラックの積載率の向上などの取り組みが既に行われているほか、トラックではなく鉄道に切り替える「モーダルシフト」なども検討されているというが、まずはこうした体制を整備してから労働時間の規制をすべきであった。

問題は「２０２４年」だけではない。

「2025年問題」から「2030年問題」へ

「怠け方改革」が続く以上、「２０２５年問題」さらには「２０３０年問題」も懸念される。

「２０２５年問題」は、社会保障の面で以前から問題になっていた。

二〇二五年すなわち令和七年に、日本の人口の二割が七十五歳以上の後期高齢者になるという問題である。

これは、昭和二十二年から二十五年までの間に生まれた「第一次ベビーブーム」の世代、いわゆる「団塊の世代」が全員七十五歳以上になるということだ。

年を取れば体力が衰えて、病気になったり、介護が必要になったり、その負担も重くなる。

少子高齢化は先進国共通の問題であり、子どもが減っているのは前からわかっていたのに、なぜ今さら問題になるのか。

平成九年には子どもの数が高齢者人口よりも少なくなっており、その前から少子化の懸念はあった。

にもかかわらず、国は政策らしいことを何もしてこなかった。

その結果がこの「日本人の二割が七十五歳以上」という問題であり、これから介護保険料や自己負担分の増額などはもっと顕著になる。

日本の定年制は、法律では決められていないが、ほとんどの企業は「六十歳定年制」で、その後は継続雇用の道もあるが、給料は安くなる。

令和六年には、大勢の高齢者すなわちベテランが退職すると予測されており、そうなればますます建築業界だけでなく全国的に人手が足りなくなってしまう。

そして、「２０３０年問題」はもっと深刻である。

二〇三〇年つまり令和十二年には、日本の人口の三分の一が六十五歳以上になることで、あらゆる業種・職種で人手不足がより深刻になると予測される問題である。

特に、もともと高齢者の多い建設業界では、離職者が増えることで、壊滅的な打撃を受けることがほぼ確実となっている。

いずれにしろ人手不足という根本的な問題が解決されるには、かなりの時間がかかる。

今から少子化対策をしようとしてもまず妙案はないし、即効性もない。早くても二十年後だ。

「やる気のない社員」が増える理由とは？

私が提唱する「週休一日制」は、もはや「天下の暴論」のようだ。

今どきの若者たちは、「給料が上がっても休みを減らすのはイヤだ」という。私の周囲の若者たちも例外ではない。自分の安月給や不景気に不満を持ちながら働くことを惜しむ意味がわからない。なぜこんなにやる気がないのか。

アメリカの世論調査やコンサルティング大手のギャラップ社が令和五年六月に発表した「グローバル職場環境調査」によると、日本人の「仕事満足度」はわずか五パーセントで世界最低だった。会社員百人のうち仕事に満足している者は五人とはどういうことか。

ＯＥＣＤ（経済協力開発機構）加盟国平均の二十パーセントを十五ポイントも下回り、四年連続で世界最低を更新しているという。

この調査は平成十七年から毎年行われており、日本人の満足度は年々下がる一方で、世界平均は二十三パーセントと調査開始以来の最高水準になっている。

この調査は、ギャラップ社が百六十を超える国と地域を対象に労働人口を無作為抽出し、対面や電話などで聞き取りを行っている。令和四年は十二万二千四百十六人が対象にされている。

やる気が出ない理由としては、「上司とコミュニケーションが取れない」「きちんとした指示がない」「直属の上司にマネジメント能力がない」など、いずれも他人のせいである。

何でも他人のせいにする気持ちが私にはわからないのだが、いくらがんばっても正当に評価されなければ、やる気もやりがいもなくなるのは当然だ。給料に不満があれば別の会社に入るとか自分で起業するとかすればいいではないか。

不動産バブルの崩壊で企業はセコくなった?

「やる気のなさ」には、社会的な不況の影響は確かにあると思う。

昭和の終わりの不動産バブルが崩壊して一気に不景気になり、当時は円高で輸出産業の国際競争力も低下していたことで、平成に入ってからほとんどの企業は「守り」の経営に向かっていく。

「人財」を「コスト」としてきたのだ。今思えばセコい発想ではあるが、当時は真剣だったのだと思う。

しかし、結局はこれが企業を苦しめることになる。会社は人がいなければ動かないからだ。

いい例が大赤字を抱えていた日産に入ったカルロス・ゴーン元会長である。「コスト・カッター」と呼ばれ、採算の取れない工場をどんどん閉鎖して売却し、従業員二万人のクビを切った。

それだけカットすれば会社は立て直せるに決まっている。日本人ではしがらみが強すぎてムリだから、外国人に汚れ仕事をさせたのだ。そして、用済みになれば逮捕である。

ゴーン元会長に関しては特に何も思ったことはなかったが、日本の検察にこっぴどくやられた挙句にアメリカのあの「グリーンベレー」（米軍特殊部隊）の元隊員らに頼んで国外逃亡したのは興味深かった。

元隊員らは日本の裁判で懲役二年ほどの実刑判決を受けている。元会長側から「日本で拷問を受けている」「保釈中の者を逃亡させても罪にならない」と聞かされて助けたという。もっとも裁判所は信用しなかったので、執行猶予はつかなかった。

カネを積まれてやっただけであろうが、元会長はいくつも裁判を起こされながら祖国レバノンで悠々自適なのだから、元隊員らは気の毒だと思う。

元会長に対する検察の取り調べがどのようなものであったか、ぜひ聞いてみたいものである。私は前著で書いたが、不当な拘束への怒りやストレスで血圧が爆上がりし、死んでいてもおかしくはなかった。

勾留されていた元会長は、おそらく私よりはかなり丁重に扱ってもらえたと思うが、ほんまのところは知りようがない。

しかし、元会長にとっては「拷問」だったということである。

話がそれたが、日産のコストカットは極端としても、ほとんどの企業はバブル崩壊から正社員を減らし、人件費や研修・教育費をどんどん圧縮している。下請けも納入価格の値下げなどを要求されて、経営が厳しくなっていく。景気が多少上向いてきても、まず賃上げはしない。

こういうのを見てしまうと、社員だってやる気がなくなるだろう。

「節約」と「ケチ」は違う。若手の育成にはある程度のコストをかけなくてはならないし、がんばった社員には見合った給料を払わなければ他の会社へ移られてしまう。

だが、すっかりやる気をなくした従業員たちは転職など目指さない。もちろんスキルアップもしない。

だいたい病気になるまで働いても、サボりながら働いても、それほど給料は変わらないのだから、サボったほうがラクだ。多くの日本人が働きもせず怠けもしない「小役人」のようになってしまった。これでは日本の競争力が落ちるのは当たり前である。

私の会社では、がんばったらそれに報いる賃金を支払うように努力している。そうでなければ、人手は確保できないし、会社が存続できない。

これは会社経営だけでなく、日本という国の存続にも共通している。教育費をケチって愚かな国民ばかりになったら、日本の未来はない。

「働きたくない若者」は世界中に？

ＳＮＳの TikToke で、若い女性が「9時から17時までの仕事なんてクレイジー」と言い、「ジムにもデートにも行けない」と泣きながら訴える動画が話題になっているという。

「若くて体力があるのだから働けばいいのに」という声もあるが、ほとんどは女性に同情的らしい。

さらに、海外では週休三日制を考える企業も増えているという。そんなに休んで何をしているのかというと「副業」に励む者も多いらしい。

健康上の問題で一週間に六日も働けないというならまだわかるが、なぜ本業を休んでまで副業に精を出すのか。過労死の問題はないのだろうか。余計なことはしないで、初めから自分の職務をまっとうすればいいではないか。

工事現場で雨が続いた時はゆっくり休んで、その後に七日間連続で働くのではなぜダメなのか。

これは現場のトップが判断することで、建設現場の「一律土日休み」では支障のほうが多くなる。たとえば月・火・水曜日に雨が三日続いたら、その週に作業できるのは木・金曜日だけとなり、効率が悪すぎる。

夜更けにこっそり溶接作業をしていて近所から苦情が出ることもあるし、残業手当をつけると残業していたことがわかってしまうので、「サービス残業」すなわち「無給の残業」も多い。

たとえばイギリスでは令和四年六月から十二月にかけて六十一社の企業やＮＰＯ団体の二千九百人を対象に週休三日制の実証実験を行い、おおむね好評だったという。

ただし、この実験では、業務効率を見直し、休みを増やしても給料を減らさないことを徹底しており、単に休みを増やしたということではない。

また、業態によって週休日を増やすか、交代で休日を取るかを考え、レストランなど夏の間は営業時間を長く、冬場は短くするなど一年間の平均の労働時間が週休三日になるようにするなど工夫している点は参考になる。

国際的には「労働時間が減っても賃金は減らさない」ことが注目されているというが、

これも納得できない。

しかし、業務効率を見直して、今まで二日かかっていたことを一日で仕上げるような業務改善は必要であるし、機械化が進めばそうしたことも可能になってくるとは思う。

さらにイギリスでは、令和五年に「雇用関係法」（フレキシブル・ワーキング法）が成立、在宅勤務の拡大、フレックスタイムと時差出勤、一つの仕事を複数の労働者が分担して作業するジョブシェアリングなどを拡充することを発表している。

このほか週休三日制については、アメリカのマイクロソフトが期間限定で実施しており、日本でも一部の職種についてユニクロやヤフーが導入しているが、それほど広まってはいない。

だが、コロナ禍で再び週休三日制の議論が高まり、令和三年四月には自民党の一億総活躍推進本部が希望すれば週に三日休める「選択的週休3日制」を政府に提言している。

提言では、「選択的週休3日制の導入によって休日を増やすことは、子育てや介護と仕事の両立に加え、大学院への進学など学び直しの機会の創出にもつながる」としている。

フレックスタイム制を活用して全体的な労働時間は減らないようにするなどの事例も公表

されている。

「働き方改革」は「怠け方改革」

内閣府の公式ホームページによると、令和六年は三連休が十回もあるという。「国民の祝日に関する法律」で定める祝日と土曜・日曜日が重なるのだが、これも私には理解できない。こんなに休んでは頭もゆるんでしまうと思う。

法律で決める祝日が多すぎるのだ。日払い制度の非正規雇用者には、国民の祝日などの働かない日には「ノーワーク・ノーペイの原則」で賃金は払わなくともいいが、正規雇用であれば祝日があっても月給は変わらない。経営者にとってはかなりの痛手である。

私はずっと自由民主党を支持し、地元の政治家たちとも常に連携して、「住みやすい町づくり」や「働きやすい職場」を目指してきたつもりだが、おかしな方向へ行っている。

建設業は騒音などの近隣対策もあるので、「日曜休み」は前提として必要なことはあるが、働き方の多様性はもっと議論されるべきであるたとえば百貨店や飲食店など土日に休めない業種は多く、どこも人手不足は深刻なのだから、もっと休みの取り方は柔軟に考えてもいいと思う。

清和会の支配の下で、日本の賃金は三十年以上も上がらなかったことは、別稿でも述べているが、昔に比べて生産性が低くなっている印象がある。

たとえば、私の会社と役所の打ち合わせの場合、担当者が一人来ればいいのに何人もやってくる。油断していたら昼飯までこちらが負担しなくてはならないこともある。この時間を別の業務に充てることはできないのか、といつも思う。

日本の賃金を上げるには、そうしたムダを省いて生産性を上げていかなくてはならない。真の働き改革とは、そういうことだと思うが、政府が考える「働き方改革」とは、単に労働時間を短くすることである。

しかし、こんな「怠け方改革」では、ますます日本は沈む。

まず、当たり前のことだが、休みが増えれば建物の完成は遅れる。余裕を持った工期が設定できればいいが、施主によっては難しいと思う。建築の費用も、普通は施主の銀行からの借り入れであり、工期が伸びればそれだけ金利を払わなくてはならない。工期はできるだけ早い方がいいに決まっている。

正規社員の休日の賃金保障のコストは確実に建築費にハネ返るし、ウクライナ侵攻などの影響で世界的に物資の値上げが続いているせいで、建築資材も上がっている。

休みが増えるだけで、建築が進まないとなれば、町はゴーストタウンのようになってしまう。しかも、ようやく竣工しても、コストを抑えた安っぽい建物ばかりになってしまう。

まずは業務の効率化を図ることが最優先されるべきだと思うのだが、なぜ「休むこと」が先になってしまうのか。休暇を決めるより誰かが休んでも現場が回るような体制づくりを先に進めるべきであった。

大阪・金剛バス廃業の衝撃

令和五年九月、大阪府内の路線バスの「廃業」が突然発表された。それほど大きな会社ではないが、関西圏には衝撃が走った。

大阪府南東部で路線バスを運行する金剛自動車（富田林市）が、「令和五年十二月二十日で路線バス事業を廃止する」と宣言したのだ。

理由は人手不足だという。

以前から相談を受けていた行政は、廃業に至らないよう調整を続けていたというが、突然の廃業宣言を受けて運航している富田林市など四つの市町村は、対策の検討を急ぐことを発表した。地元住民らは文字どおり寝耳に水だった。

十一月の終わりには、廃業の十二月二十日以降もバスを運行させられるように、富田林市など周辺の四市町村とバス会社との連携が発表されたが、落ち着くまでは混乱が続くだろう。

私にはバス会社の経営はわからないが、普通に考えて、こういう場合はすぐに廃業はせず、路線のコースを見直したり、減便したり、あるいは自治体に金銭的援助を頼んで対応するのではないか。

行政の金銭的援助の話はあったというが、廃業を決める気持ちは当事者にしかわからない。そこまで切羽詰まっていたということなのだろう。

これは関西圏の「ローカルな話」であったが、首都圏でも路線バスの減便や廃止は問題になっている。

東京都や埼玉県で路線バスを運営する国際興業（東京都中央区）は、令和五年九月から十月にかけてＪＲ池袋駅や都営三田線・高島平駅、ＪＲ浦和駅からの発着便の減便や終バスの時刻の一時間の繰り上げなどを実施している。

こうしたインフラの崩壊は、日本の「終わりの始まり」の第一歩ではないのか。

公共交通は「公営」が基本

公共の交通機関を民間の運営に丸投げすることには、問題はないのか。

朝日新聞（令和五年十一月二十三日付電子版）によると、令和四年時点でのバスの運転手は全国で十一万一千人、七千人が不足しているという。

日本バス協会の試算では、バス運転手は減少し続け、令和十二年には九万三千人まで減り、不足は三万六千人となる見通しだという。

また運転士の高齢化も深刻だ。国土交通省『令和五年版 交通政策白書』によると、バス運転士の平均年齢は五十三・四歳で、全産業平均の四十三・七歳より約十歳も高く、女性比率は一・七パーセントしかない。

運転士はほとんどが高齢の男性だが、改善の余地はないのか。

国際的にみると、路線バスを民間の運営しているのは先進国ではめずらしいという。

同じ記事には、専門家の話として「米国の都市内の路線バスは公営で、ヨーロッパでも民間業者が競争入札で自治体と契約する形がほとんど。日本のように公的な補助はあるが、民間企業の経営に全面的に頼る国は先進国では見られない」とある。

前提として、「地域の公共交通が赤字黒字というビジネスベースで路線が増減することは本来はおかしい。この問題を公共交通の転換期としてとらえるべき」なのだという。今から間に合うかどうかはわからないが、全国で公共交通のあり方を見直すのは急務である。

路線バスだけでなく、タクシーやトラックの運転手不足は全国的な課題である。

既に京都などでは令和五年五月からコロナが修学旅行生や外国人観光客の増加でタクシーの需要が激増して、市民生活に影響が出ていることも報道されている。

運転手の不足は、少子化のほか長時間労働のわりに給料が安いことが原因とされるが、七十歳以上はまず雇われないことも問題である。

だが、実際にはベテランのドライバーよりも免許を取ったばかりの二十代のほうが事故を起こしやすいこともわかっている。

単に年齢で区切らずに、運転に必要な動体視力や反射神経は全員に定期的にチェックさせて、安全運転を励行すれば、高齢者でも働けると思う。

また、大型二種免許の取得の費用を補助して主婦や学生などのパートタイマーを増やすことも検討の余地があるのではないか。

深刻な人手不足

「もう限界です」

金剛バスの廃業を発表した翌日の十二日に記者会見した金剛自動車の白江暢孝社長は、こう訴えたという。

産経新聞（令和五年九月十八日付電子版）には、「運行する四自治体からは補助金交付も打診されたが、最終的には断ったという。白江社長は『今後の運転手確保の見通しも立たず、補助金だけでは根本的な問題解決にならない』と述べ、バス事業が直面している厳しさを強調した」とある。

大正十四年創業の老舗の会社も、人手不足には勝てなかった。

慢性的な人手不足はどこの会社も同じであるが、金剛バスの規模だと安全な運行には三十人の運転手が必要であるにもかかわらず、廃業発表時は二十人、このうち三人は他社からの派遣労働者だったという。

少子高齢化で運転手不足とともに、乗客も減っている。

平成二十五年には年間約百七十二万人を数えた金剛バスの乗客数は、令和三年には約一〇六万人と四割も減少、過去三年は赤字だった。

金剛バスによると、「八月の平日」の利用者数は全路線で約二千六百人だったそうで、それほど多くはないが、市民にとっては大切な足であり、死活問題である。特に運転免許証を返納した高齢者は外出できなくなってしまう。

政府の対策も、頼りない。

運転手不足については、ドライバーが運転しない自動運転の自動車や、一般のドライバーが自家用車を使って有償で乗客を送迎する「ライドシェア（相乗り）」が国交省など関係機関で議論されているというが、今のところはどちらも安全性に問題がある。国交省も「事故が起こったら責任を取れるのか？」と言われれば、及び腰になるだろう。

たとえばライドシェア大手のアメリカの「ウーバー」は、令和四年七月に五百五十人の女性から運転手による性的被害について損害賠償請求訴訟を起こされたことが報道されている。

報道（令和四年七月十四日ギガジン電子版）によると、ウーバーは性的被害の事件がたくさん起こっていることを把握しながら、ドライバーの身元確認や車内カメラの設置を怠ってきたという。恐ろしい話であり、日本では相当な安全対策をしなければならない。少なくとも安全が完全に保障されるまで、私は家族には使わせられない。

金剛バスの路線バスの廃止は、日本のインフラ崩壊の「一里塚」であり、これからもいろんなものが崩壊していく。

「限界」を感じているのは、バス会社だけではない。

私の周囲でも「これ以上、経営は続けられない」と言って廃業を決める会社は後を絶たない。

国交省の調査によると、建設業者数は平成十一年度の約六十万業者をピークに減少を続けており、令和三年度には約四七・五万業者でピークの八割ほどとなっている。これからも増えることはなく、減る一方である。

建設業界だけではなく、町の小さな工場から飲食店まで、みんなが事業の継続を諦めている。

「儲からないから、子どもたちには同じ苦労させたくない」という親心もあるのだが、それで文化が消えてしまう気がするのは私だけだろうか。

第二章 こんな日本に誰がした？

総理襲撃――日本はどこで間違えたのか？

令和四年七月の安倍晋三元総理の射殺事件は、今思い出しても怒りと悲しみがわいてくる。

なぜ防げなかったのか……。

さらに、翌五年四月には岸田文雄総理が襲撃される事態が起こってしまった。幸い岸田総理は無傷であったが、現職の総理大臣に対する襲撃は、昭和五十年六月の三木武夫総理以来だという。

令和に入って立て続けに起こった二つの凶行には、「今の日本の悪いところ」がすべて出ていると思う。

私が特に注目しているのは、その場で逮捕された犯人はいずれも「無職の若い男」だったことだ。

そして、「無職」による事件は、これだけではないことも気になっている。

インターネットで「無職　逮捕」と検索すると、二十代から六十代の「無職」の男女らによる強盗、窃盗、詐欺、殺人、死体遺棄、痴漢、放火、女子トイレ侵入などあらゆる犯罪の報道がヒットする。

総理襲撃など言語道断だが、個人的には「賽銭泥棒」も驚いた。怒りを通り越して呆れてしまう。

また、二十三歳の現職の自衛官が強盗事件に関わって逮捕されたことも遺憾である。最近は自衛官や元自衛官による犯罪も枚挙に暇がない。安部元総理を射殺した男も元自衛官であった。

なぜ「無職」の彼らが罪を犯すのか。

それは、ヒマだからだ。

儒教のことわざに「小人閑居して不善をなす」とある。バカはヒマだとロクなことしない、という意味だ。

働く能力や体力がなければ治療や生活保護を受ければよい。

「悪いことをする」能力と体力はあるのに、働かずにわざわざ人を殺し、傷つけ、金品を盗むのか。

こうした問題は、日本の国民がもっと働けば大半は解決すると思う。

日本が戦後の焼け跡から世界が驚く速さで復興を遂げたのは、日本人が勤勉だったからだ。今はどうか。

これから戦争が始まって、日本に原子爆弾よりも強力な爆弾が投下され、焼け野原になったら、どうなるか。八十年前と同じような復興ができるか。

かつてのような復興は絶対にムリだろう。

こうしている間にも、戦争は近づいている気がしてならない。

タレントのタモリが、令和四年の暮れに出演したテレビ番組で今の世の中を「新しい戦前」と評して話題になった。タモリは終戦の昭和二十年生まれだそうだ。

本当に戦争になったら、「無職」と老人ばかりの日本は、間違いなく跡形もなく消え去るだろう。

私は、そんな日本を見たくない。

かつての強い日本に戻したいのだ。

では、「強い国」とは何か。

兵器をたくさん所有して戦争に勝つことばかりが「強さ」ではない。経済大国として世界の安全と秩序を守る存在感が求められるのだ。

国際社会もカネを持っている者の勝ちである。

現在「無職」の若者たちが働くだけでも、ＧＤＰ（国内総生産、Gross Domestic Product）はかなり上がるはずだ。経営者の皆さんも人手不足を嘆く前に、行政と連携して無職の若者が働ける場を作るべきだ。

行政もムダな書類づくりや人員配置をやめ、民間の手間を少しでも省いてほしい。

読者の皆さんも、「今どきの若者は……」とか「お役所が悪い」とか責任のなすりあいをせず、今、自分が日本のために何ができるか、考えて行動してほしい。

今ならまだ間に合う……と言うのが難しいほど日本は弱っている。

だが、それでも私は生きているうちは動きたい。

私の話を理解してくれる政治家や官僚の皆さんが力を貸してくだされば、まだ挽回できると信じている。

政府は「引きこもり」の就労支援に尽力すべき

総理襲撃などの大それた事件を起こさなくても、無職の若者や中高年は増え続けている。どの業界も人材確保に苦労しているというのに、どういうわけなのか。

令和五年五月には、厚生労働省がひきこもりとその家族らの支援に役立てるため、初の「マニュアル」を策定する方針を発表した。

八十歳代の親と五十代の子どもが年金頼みの貧しい生活に直面する「８０５０問題」も深刻になる中、自治体の窓口に「マニュアル」を設置して、多様なニーズに対応できるようにするという。

検討会議を厚労省内に設置して、当事者や家族、自治体から状況を聞き取り、令和六年度中の製作が予定されているが、マニュアルで解決するような問題なのだろうか。

まずひきこもりの人数が多すぎる。

内閣府が令和五年三月に公表した最新の調査によると、全国の十五歳から六十四歳男女のうち、ひきこもり状態にある人は百四十六万人と推計される。この年代の約五十人に一人がひきこもっている計算になる。

中には健康上の問題で働けない人もいると思うが、コロナ禍でクビになったり、職場の人間関係がイヤで辞めたり、理由はいろいろあるようだ。コロナ禍はしかたないとしても、どこにでもイヤな人間はいるものである。いちいち辞めていたら、どこも勤まらないと思う。

一方で、今まで「家事手伝い」「専業主婦」とされていた層が実はひきこもりだったというケースもあり、今まで把握できていなかったことが判明して、「ひきこもり百五十万人」の計算になった面もある。

私からすれば、何を甘えているのかという感想しかないが、どうしても働けない人のために短時間から働ける職場や在宅勤務だけでよい職場も登場している。毎日新聞（令和四年十一月十五日付電子版）によると、愛知県春日井市には「一日十五分から働けるカフェ」があり、注目されている。自分のペースで働いてよく、疲れたら途中で帰ることもできる。

働けない理由はそれぞれなのだから、自分に合う働き方を見つけるしかないと思うが、政府は生活保護費をばらまくのではなく、こうした人たちの就労を助けるプロジェクトを早急に立ち上げるべきである。

鬱病などで他人と話せなくても、農業など話さずに済む職場もあるはずだし、コンピューターの仕事であれば朝起きられなくてもできるのではないか。

私としては建設業を進めたいが、やはり怖いイメージがあるだろうか。しかし、朝早いので朝日を浴びながらの力仕事で、雨の日はゆっくり休める。賃金も悪くはないので、心身の健康にはとてもいいと思う。

とはいえ私の会社の仕事も荒っぽいところはたしかにあるので、そういうプラスマイナスを踏まえてお互いにいろいろ話していけば、百五十万人という「人財」を生かせるようになるのではないか。

もっと多くの人がこの問題に興味を持てば、変わっていくと思う。

令和五年秋時点の「基金」のプール金は約十七兆円

国際競争力を強めるために、日本は何をすべきか。少なくともばらまきではないのではないか。円安に頼らずに技術開発を進めるべきだと思う。

財源は、補助金・助成金の制度を見直せばよい。いったい国内にどのくらいの補助金と助成金、減税などの制度があり、どのくらいの税金がつぎ込まれ、使われているのか。

国の「補助金」は主に経済産業省、「助成金」は主に厚生労働省の管轄で、それぞれの官庁の公式ホームページには、数えきれないほどのばらまき制度が紹介されている。

補助金は、企業の事業サポートが目的で、予算や定員が決められているので、早めに申請しないとハズレることがあるが、助成金は対象者や対象活動などの基準を満たしていれば、まずもらうことができる。申請期間も長く、募集も随時なので、あまりハズレることはない。

制度が多すぎる上に複雑で、とにかく申請書類が多すぎるので、書類を書くだけでも手間がかかりすぎる。行政書士など申請書類を書けるプロに頼まない限り、難しい。今はプロに頼めるような、もともとカネのある者しか受け取れない制度ばかりである。もっと種類と手続きを減らし、本当に必要な人が利用できるシンプルな制度に改めるべきだ。

きちんと機能している制度もあるのかもしれないが、ある意味「聖域」のようになっているので、この際、すべて見直すべきである。

特に呆れたのが、国の基金事業である。

令和五年十一月に都内で行われた「秋の行政事業レビュー」の議論を受けて、河野太郎行政改革担当相が「すべての基金の見直しをする」と記者会見で述べたことが報じられた。使わずに漫然とたまったプール金は合計で十七兆円近いという。

河野大臣は「国が中長期的な政策推進のために積み立てている基金事業に関して、すべての基金で点検、見直しをする。近いうちに点検ルールを策定して着手する」と言ったが、どこまで見直しができるのか。この十七兆円は有効活用されるのか。

この「行政事業レビュー」とは、国家予算執行のムダや事業効果を外部の有識者らが公開点検するもので、平成二十二年の民主党政権時代から行われてきたという。

日本の予算は単年度が基本だが、年度をまたぐ計画も多いので、計画のために複数年度でためておき、必要な時に使えるようしたのが「基金」である。

報道によると、令和五年からの過去十年間で各基金に積み立てられたのは総額三十五兆円、このうち八割に当たる二十八兆円が、コロナ禍の緊急経済対策の策定が相次いだ令和二年からの三年間に集中している。十年より前のものも含め、これまでに積み立てられた基金のうち、使われていない残高は令和四年三月末の時点で十六兆六千億円だという。

内閣官房の担当者は、「コロナ禍の時期を中心に、必要性が十分精査されないまま積み上がり『水ぶくれ』となっている可能性もある」と指摘していた。

血税が原資のカネを「水ぶくれ」と呼ぶのもどうかと思うが、しょせんは「他人のカネ＝税金」だから、そこまで放置されるのだろう。納税者としては怒り心頭である。

また、「コロナ禍対策」と称しているのに、コロナワクチン生産の体制の整備などだけでなく、なぜか国内での半導体生産の支援、次世代通信網の研究開発など、コロナとは関係ない基金も多い。こうした批判は前からあったが、チェックは官庁は把握せず、基金の「お手盛り」で行われるので、問題が解決されないまま今日まで来てしまったという。

基金は、不動産バブル期の平成五年ごろ、リーマン・ショック後の平成二十一年頃、東日本大震災の翌年の平成二十四年頃などにたくさんつくられてきたが、ムダが指摘されると減らされ、何かあると増やされる状態が続いてきたようだ。

ここまで放置される理由はいくつもあるのだろうが、期間を決めていないのはおかしい。単年度でないからといって期間を決めないでいいわけがない。税金を使っているのだから、期間や検証のタイミングを決めずにだらだらプールするだけでは、国民の不満は高まる一方である。

どんどん貧しくなる日本

かつては世界で「ジャパン・アズ・ナンバーワン」とまで評された日本が後進国になった理由はどこにあるのか。

一つは、日本人が変化に対応できないことだと思う。

戦後の焼け跡から立ち直ろうとがんばれたのはむしろ奇跡だったのだろう。よかったのは、がんばれた昭和三十年代の高度経済成長から平成直前の不動産バブル期までで、あとは国際社会の変化に追いつけない。役人から会社の社長までみんな昭和の考え方を貫いている。

私の関わる建設業界でも、とにかくムダが多い。視察に大勢の役人が来るわりに大した成果はないし、やらなくてもいい工事を減らせない。

親しくなった役人に「民間なら赤字ですね」などとイヤミを言っても、笑っている。むしろ予算を多めに取って「民間に回してやっている」という態度である。

そもそも役人は現状維持と横並びが鉄則なのだ。異動もあるし、いくら業務が非効率でも、「自分がこの部署に在籍している間に業務の改革を……」とは死んでも考えない。面倒くさいし、自分だけ目立つのは御法度である。

田中角栄のように、根本から変えられるような骨太の政治家が出てこない限り、何も変えられない。

「失われた三十年」

最近よく耳にする言葉であるが、まるで他人事のように聞こえる。

たしかに三十年前から賃金は上がっていないのに、物価だけはどんどん値上がりしている。

「失わせた」のは、誰なのか。

最近はインターネットの普及で情報やモノがすぐに手に入り、便利になった一方で、生活は苦しくなっているということは、多くのデータが示している。

まず、平均年収の問題がある。

国税庁「民間給与実態統計調査結果」によると、平成元年に平均年収が四百万二千四百円と初めて四百万円を超えたが、それから三十年にわたって四百万円台から上がっていないのである。

平成元年以降で平均給与が最も高かったのは、平成九年の四百六十七万円で、令和三年の平均は四百四十三万円なので、二十三万円も下がっている。

これは、国際的に見ても異常事態だという。

ここまで給料が上がらない先進国は世界にない。

一生懸命働いても賃金には反映されないのだ。

ＯＥＣＤの令和二年の国際比較によると、アメリカの平均年収が六万九三九一ドルなのに対して日本は三万八五一五ドルと、日本はアメリカの半分である。

しかも韓国（四万一九六〇ドル）より少ない。というかＯＥＣＤ加盟国三十八か国の中で日本より賃金が低い国は、イタリアやスペイン、ギリシャのほかメキシコ、あとはチェコやハンガリーなどの旧社会主義国家しかない。

行き過ぎた円安の問題もあって、国際社会での日本の存在感はなくなってしまった。これらの日本の現状に関するデータは、内閣官房もまとめているが、「日本の実質賃金の伸びは低調」「世界のGDPに占める日本の割合は大幅に低下」「日本の人材競争能力は低下するとともに外国人からも選ばれない国に」といった後ろ向きなデータが淡々と並べられている。嘆かわしい、という言葉しか見つからない。

収入の半分が国庫へ

耳慣れない言葉だが、「国民負担率」の高さの問題もある。

国民負担率とは、税金と社会保険料の合計額を、国民所得で割って算出するもので、毎年二月に公表されている。

まだ欧米から見ると日本の負担率は低いといえるが、北欧やフランスなど多くの国は、年金で豊かに暮らせる。日本では国民年金だけでは暮らせないのだ。

かつては国民負担率を上げると国民の不満が高まって、経済成長の伸び率が下がると考えられていた。

しかし、最近では国民負担率の割合は上がり続けているのに、国民にはほとんど知らされていない。さらに、国民負担率の推移は、国民が簡単には確認できないようになっているのだ。

総務省や厚生労働省、国税庁などの役所の公式ホームページには、庶民が簡単にアクセスして確認できるようなページはない。税や社会保障の国民負担率は、財務省が公式ホームページの目立たないところに掲載し、「令和五年度は四十六・八パーセントとなる見通しです」とアッサリ報告している。

マスコミはもっと詳しくこの問題を報道してほしい。

また、消費税の問題もある。

消費税が導入されたのは平成元年で、当時は三パーセントであった。たとえば二十万円の買い物をしたら、消費税は六千円になるが、現在の十パーセント課税では二万円だ。

他にもタバコ税や酒税なども上がり続けている。

タバコは、たとえば「メビウス」（旧マイルドセブン）は令和三年の値上げで五百八十円になった。日本専売公社が民営化されてJTになった昭和六十年には二百円だった。

平均給与は変わっていないのに、タバコ税はまだまだ上がるといわれ、さらに、令和五年十二月には、時期は明らかではないが、電子タバコの値上げも公表された。

郵便はがきも値上がりが続く。平成元年の消費税導入で「一枚四十一円」となったが、令和元年の消費税導入で六十三円となった。

そして総務省は、令和五年十二月に、定形封書（二十五グラムまで）の郵便料金の上限を「八十四円」から三割高い「百十円」に、郵便はがきの料金も「六十三円」から「八十五円」に引き上げる省令改正案を審議会に諮問した。

消費税の値上げ分を除けば、平成六年以来、約三十年ぶりの値上げだという。

昭和四十年代は、はがきは一枚十円で、それなりの需要があったと思うが、インターネットの普及ではがきを使うことは年々減り、配達員の確保も難しくなっている。

そうした事情はわかるが、郵政事業も国の根幹の事業であり、ここまで値上げしたら利用者はいなくなる。そもそも安易に民営化すべきではなかったのではないか。

また、厚生年金保険料、国民年金保険料、国民健康保険料などの社会保険料も何度も値上げされている。しかも、社会保険料は月給からのみの徴収であったが、いつの間にかボーナスからも徴収されている。

これでは、江戸時代の「五公五民」と変わらない。収穫したコメを「御上」に半分取り上げられ、残りの半分で暮らすようにとの命令だったが、それで足りるわけがない。百姓一揆や農地を捨てて山野などで隠れて暮らす「逃散」やコメの収穫をごまかす「隠田」などの原因になったといわれる。

富裕層の負担率はさらに重く、現在も上がっていることについて、インターネット上では、「令和の時代に『五公五民』とはひどい」と批判の声も上がっている。

東京新聞（令和五年二月二十五日付電子版）によると、そもそも「国民負担率」とは、「日本独特」の言葉なのだという。

諸外国では、「国民所得」ではなく、「国内総生産」（ＧＤＰ）比でみた租税や社会保障負担の指標を用いることが多いという。

一方で、日本の社会保障は国債頼みであり、財政赤字分も加味したGDP比の「潜在的国民負担率」は、コロナ禍前の令和元年で三十五・八パーセントと、スウェーデンの三十七・一パーセントとほぼ同じだが、スウェーデンは高福祉で知られ、老後は年金だけで悠々自適で過ごせている。

なぜ日本は負担が重いのに、福祉を充実させられないのか。

経済成長を促すには、減税で国民の負担を減らし、バラマキの助成金の見直しを図らなくてはならない。

一生懸命に働いても、半分近くも国に持っていかれて、生活がラクにならない実態と批判をマスコミはもっと書いてほしい。

自動車は公私で使い、タバコを吸い、酒を飲む私は、ひたすらむしり取られてきたが、その挙句の「脱税犯」扱いである。これで怒らなければウソである。

見返りのない重い負担ばかりでは、優秀な日本人はみんな海外に出てしまう。既にその兆候はかなり前から始まっている。

私は、税金はきちんと納めるべきだと思うし、そうしてきたつもりだ。

その一方で、不当逮捕の経験を経て、問題は「税金の使われ方」であると再認識したのである。

「付加価値」はどう作るか

「一人あたりの国民総所得は足元の縮小傾向を逆転し、最終的には年三パーセントを上回る伸びとなる。十年後には現在の水準から百五十万円増やすことができる」

平成二十五年六月、都内で講演した安倍晋三首相（当時）はアベノミクスの見通しをこう述べた。今から十年前である。

アベノミクスの基本となるのは、その前年の平成二十四年に安倍総理が表明した「三本の矢」とする政策である。

①大胆な金融政策（デフレを脱却して二パーセントのインフレ目標達成まで無期限の量的緩和を行う）

②機動的な財政出動（東日本大震災からの復興、安全性向上や地域活性化、再生医療の

実用化支援などのための大規模な予算編成）
③民間投資を喚起する成長戦略（成長産業や雇用の創出を目指して規制緩和を行い、投資を誘引）

という三本の矢で日本経済を立て直すとした。

だが、まったく経済は立て直されなかった。

アベノミクスの失敗はあちこちで論じられているが、要するに社会の格差を広げただけであった。

最大の敗因は、「賃金が上がらなかったこと」だという。アベノミクスの指南役で当時内閣官房参与だった浜田宏一米エール大学名誉教授は「漠然と上がると思っていた」と東京新聞（令和五年三月十四日付電子版）に明かしている。

日本企業の賃金が上がらない理由は、労働の生産性が低く、付加価値が増えないからだといわれる。

付加価値とは、
「総売り上げ」マイナス「原価」

で計算され、賃金はこの付加価値から支払われる。原価を抑えれば賃金も上がることになる。

たとえば、一個百円のパンを作るのに、小麦粉や酵母、塩や砂糖などの原材料に五十円かかるとすれば、残りの五十円が付加価値である。小麦の生産者や工場の職人、流通業者、販売業者のギャラは付加価値から支払われる。

付加価値つまり賃金を高くするには、パンの原材料の費用を低く抑えるか、あるいはパンの値段そのものを高くすることになる。

この付加価値の合計がＧＤＰである。付加価値が上がれば賃金も上がるが、私はこれも総論賛成・各論反対だ。

このＧＤＰも日本は長くアメリカに次いで二位だったのに、平成二十二年に中国に抜かれて三位に転落、さらにＩＭＦ（国際通貨基金）は、令和五年には日本はドイツに抜かれて四位に転落することと公表し、今後はインドと英国にも抜かれる見通しだという。

令和五年十月三十日の臨時国会の衆議院予算委員会では、この「四位転落」とあわせ、政府として自国産業育成の支援策に戦略性があったのかと問われた岸田文雄総理は、こう答弁している。

「デフレの悪循環という部分につきましては、私も総理になる前の段階において、やはり経済の好循環を取り戻さないと経済は持続可能なものにならないという観点から、やはり、賃金が引き上がることによって消費が拡大し、消費が拡大することによって企業収益が拡大し、企業収益が拡大することによって投資や賃上げの原資となり、それが賃上げ、消費にまたつながっていく、この好循環をしっかりと完成させないと、コストカット型だけでは経済が持続可能なものにならない、こういった問題意識を持っておりました。そういったことから、新しい資本主義という考え方を申し上げ、成長と分配の好循環ということを訴えてきました。

そして、好循環を実現する上において、特に賃上げの部分とそして賃上げの原資となる成長の部分、この部分に官民で力を結集して盛り上げを行うことによって循環を完成させるきっかけにしなければいけない、こういったことで二年間、賃上げと成長、この部分に特に力を入れて経済政策を進めてきたということであります。是非、この好循環を持続させることが、日本の経済再生にとって、デフレ脱却にとって大切であると考えています。

そして、委員の方からもう一つ、供給力の強化、これは論理の飛躍があるのではないか、よく分からないということでありますが、好循環を実現する上で、供給力の強化、すなわち日本の経済の生産性の向上こそが賃金の引上げにつながると考えています。

好循環を実現する上において、今、需給ギャップがほぼ埋まったと言われています。生産性を高めることによって、その原資でもって賃上げを持続可能なものにしていく、そして先ほど言いました好循環を持続可能なものにしていく。そのチャンスを今ようやく得ようとしている、明るい兆しが見えてきている。これを確実なものにするために、供給力の強化を図り、生産性を高め、そして賃金を引き上げる、この動きを持続させていきたいと強く思っております」

何を言っているのか、まったく意味がわからない。なぜマスコミは批判しないのだろうか。

一方で、「もうGDPというモノサシはいらないのではないか」という議論もある。

GDPとは、あくまでも「国内」で作られたモノやサービスを基本に計算するからだ。

たとえば大容量の家庭用洗濯機が開発されて、一度に洗えるタオルの枚数が十倍になったとする。

新しい洗濯機の売り上げはＧＤＰに反映されるが、「一度に洗えるタオルの枚数アップ」は反映されない。

また、転売サイトで使わなくなったものを転売する人も多いが、これもＧＤＰには反映されない。

さらに、自然災害などの復旧工事や救命活動の費用も反映される。いいことではなくても、モノやサービスが売れればＧＤＰは上昇する。

ＧＤＰのカウント以前に、まずこの「付加価値」をどう上げていくのかを考えなくてはならないが、付加価値を上げるのは簡単ではない。

前提として、原価を抑えようがない業種・職種の方が断然多いからだ。

いわゆる労働集約型産業である。いくら機械化をしても「人の手」を経なければ成り立たない職種だ。

辞書（知恵蔵mini）によると、

「事業活動の主要な部分を人間の労働力に頼っており、売上高に対する人件費の比率が高い産業のこと。主に第一次産業の農業や、第三次産業のサービス業や流通業などがこれにあたる。また、弁護士や情報サービス業といった知識集約型産業もこれに含まれる。多くの労働力が必要とされるため一人あたりの労働生産力が低く、労働者の賃金が低くなりがちな点や、長時間労働を強いられることが多い点が問題視されている。反対の概念として、設備や機材といった資本を投下することで収益をあげる製造業やガス業、電気業などを指す『資本集約型産業』がある」

とされている。

農林水産業のほか、飲食店やホテル・旅館、電車やバス、自動車など流通関連事業などが代表的だが、建設業も同様である。機械化を進めることはできても、百パーセントの作業を機械に頼ることなどできない。何をするにも人の手がかかるのは当たり前である。

業種・職種によって課題が違うのに、すべてまとめて生産性が低いとか高いというのは無理な話なのである。

実際には生産性が上がっている業種・職種も多いというが、少なくとも私が携わってきた建設業の生産性を上げるのは簡単なことではない。

輸出頼みの政策も見直しが必要

日本は、「ものづくりの国」として経済成長を続けてきた。

自動車や工作機械、時計などの精密機械から家電、家具など上げたらきりがない。「メイド・イン・ジャパン」は国際的なブランドであり、半導体もかつては日本の「名産品」であった。

作った高品質な製品の輸出によって利益を上げられたのは、円安のおかげでもある。

一般論でいえば、円安は日本の輸出に対してプラス、輸入にはマイナスである。輸出先の外国で商品の価格が安くなればよく売れて、輸出産業も活性化して企業の設備投資も進むからだ。もちろん国内では極端な円安は輸入品の割高感を増やすだけである。

日本政府が円安を前提に政策を進めてきたことで、日本の強みは「円安による価格競争」だけになっていたのである。これでは日本よりも安いものが出てきたら勝てない。まずは中国にGDPで抜かれてしまった。

平成に入ってから、中国はＩＴ革命によって生産性が上がり、今やアメリカに次ぐ経済大国である。

かつては日本企業の多くが中国に多くの生産拠点を置いていたが、どんどん撤退している。もったいないことである。なぜ最初から国内生産に力を入れなかったのか。人件費を安く抑えられるとしても、設備投資はバカみたいにかかっていたはずで、それほど儲かってはいないのではないか。

ただし中国の経済成長もずっと続くとは思えない。人口ではインドに抜かれ、都市を完全封鎖する「ゼロコロナ政策」後には、子どもの感染症が激増している。

しかも中国の物価は低迷を続け、令和五年十月の国際通貨基金（ＩＭＦ）と世界銀行の総会では、中国の深刻化する不動産危機が世界の成長に対する最大のリスクの一つとして指摘されたことが報じられている。

中国のＧＤＰの三割を占める不動産市場が危機に陥っているのだ。これはもうかなりまずい段階である。

なぜかこの問題を放置していた中国政府は、令和五年十一月になってやっと都市部の再開発事業経済政策を発表、入って少なくとも一兆元（約二十一兆円）規模の低金利資金の投資を発表したが、効果が出るのかどうかはわからない。

中国では、令和五年十一月現在で未完成のまま放置されているマンションが約二千万戸に上る。完成には約三兆二千億元（約六十四兆円）が必要といわれるが、中国の不動産業界でそんなカネを出せるわけはない。引き渡し時期も不明なので、「不動産危機からの経済危機」の可能性も指摘されている。

これは日本が歩んできた道であり、もはや「不動産バブル崩壊後の経済成長の低迷とデフレ」の懸念は「日本化」と形容されている。

中国が「日本化」するかはまだわからないが、不動産業界の低迷、若者の失業の増加、デフレが問題になっているのは事実である。

ＩＭＦも、中国の経済成長率予想について令和五年十月は四月の五・二パーセントから五・〇パーセントに引き下げ、令和六年は四・二パーセントと一段と深刻化する可能性を指摘している。

とはいえ中国が再起不能とまでは思わないし、日本の対中貿易は重要である。

令和四年は、日中国交正常化から五十年の年であった。

当時の田中角栄総理の悲願であり、長女の眞紀子さんはＴＢＳの取材（令和四年十月二十二日付電子版）に対してこう語っている。

「中国と戦争があったことによってですね、不幸な戦争があったことによって、ずっと数十年間もこういう関係であることはよろしくないと。これは日本の国の発展のために絶対に中国とは良い関係を作らなきゃいけない。これはもうしょっちゅう茶の間でも言っておりました。国交回復する前後は、大変な状態でしたけど、突然総理になったから思いついてやっただとか、あるいは外務省がですね、セットしたからやったんだということでは決してないんです」

角栄は昭和十四年に陸軍召集によって満州に送られたが、肺炎にかかり除隊処分となって帰国、治癒後の昭和十八年に都内で田中建築事務所を開設している。終戦は仕事で訪れていた朝鮮で迎えている。

角栄が正常化交渉で中国に向かう時、「一緒に行きたい」と言った眞紀子さんに、「必ず眞紀子やいろんな人たちが自由に中国からも日本からも自由に往来ができる時代を作るためにお父さんは死を覚悟していくんだ」と言ったという。

今では自由な渡航など当たり前だが、日中戦争（昭和十二年～二十年）の経緯から感情的な対立もあった。しかし、角栄は日本の発展のために中国との関係を改善したのである。この国交の正常化は、日本の経済発展になくてはならないものであった。

「もはや日本は先進国ではない」

令和五年十二月には、あの「ユニクロ」を率いる株式会社ユニクロの柳井正代表取締役会長が、アメリカの雑誌『タイム』（令和五年十二月四日号）で「日本は先進国ではない」「積極的にならなければ未来はない」と述べて話題になっている。

なんとタイトルは「The Rebel」で、日本語で言えば「反逆者」である。

柳井会長は、史上最高の株価で浮かれている日本政府や日本人に「反逆」し、「日本がダメになっていることに、いい加減も気づくべきではないか」と警鐘を鳴らしているのだ。

この記事によると、ユニクロと関連会社の令和五年八月末までの一年間の営業利益は二十五億ドルを超え、前年同期比で三割増加し、株価も三割上がったので、会長の個人資産は三百六十億ドルに達している。北アメリカにある七十二店舗のユニクロショップを三倍に増やす計画もある。

こんな景気のいい人が日本にダメ出しをしてくれるのは、心強い。

これに対して、令和五年四月に同じ『タイム』からインタビューを受けた岸田文雄総理は日米同盟を強調、日本の経済力を誇っている。

柳井会長は、事態を楽観せず、「日本は決して先進国ではありません。三十年間も休眠状態にあったのですから」と語っている。

記事では、「一九九〇年から二〇一九年の間に、米国の名目賃金は百四十五パーセント上がったのに対して、同期間の日本では四パーセントしか上がっていない」とも指摘されている。

しかも、日本政府が税収をはるかに上回る予算を組んでいることもしっかり書かれている。

令和五年度の一般会計予算では、税収が約四千九百三十億ドル（約六十九兆四千四百億円）しか見込めないにもかかわらず、予算は過去最高の約八千五百八十億ドル（約百十四兆三千八百十二億円）だ。

差額は国際で賄うので、さらに約二千五百億ドル（約三十五兆六千二百三十億円）の新規国債を発行する予定だ。

ここまで厳しく指摘されているのだから、日本政府も国民も考え直してほしい。

さらに柳井会長は、同じ記事で「日本政府と官僚は、その考え方を改めなくてはなりません。金利の引き上げや手当ての削減、抜本的な規制撤廃など積極的な対策を講じるべきです」と断じ、さらに日本企業の「後ろ向きな経営」も批判している。まるでバックミラーを見ているようだという。まったくそのとおりである。

令和五年で百周年を迎えた『タイム』は、ネット版やアジア版などを含めて一億人以上が読んでいる。

この記事を読んだ世界中の読者が「日本はすばらしい国だ」と思えるわけがない。税収よりも借金が多いのに、「経済大国」を名乗るなどおこがましいのだ。

しかし、ビジネスで世界的に成功している日本人の柳井会長が問題を指摘していることを頼もしいとは思うだろう。

柳井会長は、令和五年三月に国内従業員の賃金を最大四十パーセント引き上げたが、「まだ足りない」と言う。北京や上海では、日本と同等の職種で二倍や三倍の報酬を得ているそうだ。

「日本人は、日本が他のアジア諸国に遅れをとっているという現実を受け入れる必要があります」と述べている。

これには円安の影響もあると思うが、そもそも円安がここまで続くのも日本の凋落の証拠ではないのか。

一方で、柳井会長の強みは、実家の稼業を大きくしてきたところにある。新規事業のスタートも撤廃も自分が決められるからだ。これまでも海外出店や野菜の販売などでわりと失敗もしている。

日本の他の大手企業では、こうしたことはなかなか難しいし、政府の批判もまずできない。だが、それが日本をダメにしてきたのではないか。

会長はインタビューで『タイム』が掲載したジョン・F・ケネディ元米大統領の写真を

記者に示し、ケネディの「国があなたのために何をしてくれるかを問うのではなく、あなたが国のために何ができるかを問うべきだ」という言葉が好きで、「それが今日話したいこと」だと言っている。

「国の政策に依存するのでなく、経営者に何ができるかという目線でビジネスをおこなう姿勢」を『タイム』も評価している。

経営者ががんばり、労働者も「がんばって働けば報われる」と思える当然の流れを作らなくてはならない。

新興企業は「いかがわしい」のか

柳井会長と同じようなことをソフトバンクグループ株式会社の代表取締役会長兼社長執行役員の孫正義氏も指摘している。令和元年十月の日本経済新聞だが、五年も前の記事なのに今でもじゅうぶんに通用する。

「米国は依然として技術革新は進んでいますし、中国は巨大化し、東南アジアも今急拡大してきている」のに、日本だけが取り残されているという。

孫氏は、かつての日本のビジネスマンは働きすぎが批判されるほどだったが、今は働かないことが美徳のような雰囲気になっていること、「借金＝悪」「投資＝悪」のようなイメージが広がっていることも問題視している。

ホリエモンこと堀江貴文氏の成功がかえってバッシングを浴びて、「やっぱり公務員が安定している」と言われるのもダメだという。

「公務員が悪いと言っているのではなく、そこが一番人気で、若い成長産業に若者が行かなくなったら、これはもう自動的に産業構造自体が成長に向かわなくなります」という。

ホリエモンだけではなく、孫氏も「ネットに関わるいかがわしい新興企業」と思われていたというのも面白い。柳井会長も政府に進言できる立場にあると思うが、かつて政府の諮問委員などに名を連ねていた孫氏は、日本政府に失望している。

「（政府の各委員会などは）最終決定する政治家に強い意識がないと難しいと思いますね。社会全体が起業家を褒めたたえる風潮にならないと政治家も動きません。ネット新興企業はいかがわしいという雰囲気が残ったままでは、言えば言うほどいかがわしいと思われてしまう。そうすると僕らは海外の方に出稼ぎに行ってしまう。米国や中国、東南アジア、インドの起業家たちと建設的な話をしている方が早く成果が出ます」

こうした若者はこれからも増えるだろう。

そもそもなぜ孫氏やホリエモンが「いかがわしい」のか。

がんばる若者という「芽」を摘もうとするのか。

ここにも日本の政官の問題があった。

「欲得ずくで額に汗しない人間」とは誰か

「額に汗して働く人、リストラされ働けない人、違反をすれば儲かるとわかっていても法律を順守している企業の人たちが憤慨するような事案を困難を排して摘発したい」

「国民の負託に応えるよう平常心で職務を全うしたい」

平成十七年四月に東京地検特捜部長に就任した大鶴基成検事は、こう抱負を述べたという。

翌十八年にホリエモンが逮捕されたライブドア事件（平成十八年）を担当しているが、東大の学生だった若者が「パソコン一つ」で大金を稼いだことがよほど許せなかったようで、捜査は手厳しく、マスコミも人でも殺したかのように報道を続けた。

別稿で書いているが、ホリエモンも会社を立ち上げたばかりの頃は睡眠時間をかなり削っていたというから、十分に「額に汗して」働いていたと思う。若いからできることであり、誰でも若いうちにやっておくべきだ。

また、大鶴検事は平成二十二年に東京地検次席検事に就任すると、小沢一郎衆議院議員に関連する水谷建設事件や陸山会事件（いずれも平成二十年から捜査開始）なども担当している。

しかし、強引な捜査手法のせいか検察庁に居場所がなくなったようで、平成二十三年八月に弁護士になり、あの日産のカルロス・ゴーン元会長の弁護人に就任した。

いずれも大きな事件であるが、東大在学中にホリエモンが起こしたインターネット関連の会社・ライブドア（当初はオン・ザ・エッヂ）は急成長し、企業合併などでグループ全体の時価総額が一兆円を超えるなど注目されていた。それが権力の「虎の尾」を踏んだのだろう。

ホリエモンがプロ野球チームの買収やラジオ局の株の買い占めなどを進めたことで、大手企業や検察の怒りを買ってしまった。

大鶴検事が特捜部長に就任した翌年、ホリエモンやライブドアの幹部らは証券取引法違反（偽計取引、風説の流布）容疑で逮捕され、さらに粉飾決算の容疑で再逮捕されている。保釈金が三億円だったことも大きく報じられた。

裁判では、ホリエモンは起訴事実を全面的に否認したが、平成二十三年四月に懲役二年六月の実刑判決が確定し、長野刑務所（長野県須坂市）に服役している。

証取法違反罪単独での実刑は極めて異例であることは、当時から指摘されていたし、かりに服役するとしても、前科のない会社経営者であれば、関東なら当時は栃木県の黒羽刑務所（令和四年に閉鎖）あたりのはずである。

だが、現役の暴力団員も収容されている長野刑務所に収監されたことは、権力の怒りを示している気がする。

ところが、ホリエモンは獄中記を発表し、ベストセラーになっている。これも面白いと思った。

そして、ホリエモンは今も毀誉褒貶はあるにしても絶大な人気を誇っている。

一方で、大鶴部長は「リストラされて働けなくなった人の味方」を自称していたのに、弁護士になると日産で約二万人の解雇を敢行したカルロス・ゴーン元会長の弁護人をしている。これは矛盾していないのか。

しかも大鶴弁護士は東大出身なのに英語もロクに話せず、保釈請求も通らなかったので、元会長との関係はうまくいっていなかったと報じられている。

経緯はわからないが、大鶴弁護士は早い段階で退任、新しい弁護人に「無罪請負人」として知られる弘中惇一郎弁護士と高野隆弁護士が就任すると、すぐ東京地裁に保釈を認めさせている。

大鶴部長は、ライブドア事件の後に村上ファンドを率いていた投資家の村上世彰氏や福島県知事だった佐藤栄佐久氏らを次々と逮捕、特捜部の森本宏検事が佐藤知事に対して「佐藤知事は日本にとってよろしくない。抹殺する」と言ったといわれる。

この言葉を受けて佐藤知事は後に『知事抹殺 つくられた福島県汚職事件』（平成二十一

年、平凡社）と題した自著を上梓している。

月刊誌『ＦＡＣＴＡ』（平成三十一年三月二十日付電子版）は、大鶴検事ら特捜部の暴走について、「かつての陸軍青年将校を彷彿とさせるような甚だしい増上慢ぶりが、検察を深刻に蝕んでいた。検事たちは検察庁という国家権力を背にすれば、何をやっても許されると考えていた」と断じている。

大鶴部長にとって「汗をかいて働いていない人たち」であろう投資家や政治家はどんどん逮捕してよいという気持ちになったのだろうか。

こうした検察の「何でもアリ」が、東京地検の陸山会事件の捜査報告書の捏造問題や大阪地検特捜部の郵便不正事件の証拠改竄問題などを引き起こしたと『ＦＡＣＴＡ』は指摘している。私もそう思う。

陸山会の捜査をめぐっては、平成二十二年五月、小沢一郎議員の捜査に関連して、事件を担当した田代政弘検事（当時）が捜査報告書に事実と違うことを書き、それが発覚すると「過去の取り調べ内容と記憶が混同した」と説明したことがわかっている。田代検事は嫌疑不十分で不起訴、当時の東京地検特捜部長など上司ら六人は嫌疑ナシで不起訴処分となっている。

しかし、法務大臣からは減給六か月、百分の二十の懲戒処分を受け、検察官を辞職している。

事態を受けて最高検は取り調べの録音・録画（可視化）を導入するなど、再発防止策を発表しているが、バレなければどうなっていたのか。

郵便不正事件では、現職の検察官による証拠の改竄が明らかになり、検事総長のクビが飛ぶ前代未聞の冤罪事件となった。

当時の厚生労働省の社会・援護局障害保健福祉部企画の村木厚子課長が心身障害者団体の郵便料金割引をめぐって、実態のない障害者団体が割引を受けられるように公的証明書を作成したなどという疑惑である。

村木課長は虚偽有印公文書作成、同行使罪の疑いで平成二十一年六月に逮捕、七月に起訴されたが、翌二十二年九月に無罪判決を受けた。弁護人は弘中惇一郎弁護士である。もっとも部下は有罪判決を受けており、村木氏も監督責任は問われて訓告処分を受けている。

なお、当時の厚労相は舛添要一氏であったが、逮捕された村木氏を「大変有能な局長で省内の期待を集めていた。同じように働く女性にとっても希望の星だった」とかばうような発言をしている。

私は舛添氏についていい話を聞いた記憶はないが、なかなか勇気のいる発言だと思った。

そして、村木氏も人を殺したわけでもないのに五か月も身柄を拘束されていた。無罪になってもこの時間は戻ってこないし、ポストを追われたことで生じた損害も相当なものだろう。マスコミに犯人扱いされたことで世間から受けたバッシングによる心労もハンパではなかったはずだ。

だが、この事件には、もっとすごい「展開」が待っていた。

村木氏の無罪判決が確定した九月二十一日、捜査を担当した大阪地検特捜部の前田恒彦検事が証拠の改竄をしていたことが報道され、前田検事が証拠隠滅の疑いで逮捕、起訴されたのである。

一審・大阪地裁で有罪判決を受けたが、控訴せずに平成二十三年四月に懲役一年六月の実刑が確定、静岡刑務所に服役して翌二十四年五月に満期出所している。

今どき仮釈放が認められずに満期出所するのはヤクザや身寄りのない人だけだろうが、

前田検事については「制裁」の意味もあったのかもしれない。

また、前田検事の改竄を知りながら隠したとして、前の特捜部長・大坪弘道検事と副部長・佐賀元明検事が犯人隠避罪の疑いで起訴され、二人は平成二十五年十月に懲役一年六月、執行猶予三年とした判決が確定している。

二人の検事は一貫して改竄の関与を否定したが、認められなかった。

検察庁のようなピラミッド型の組織で、ヒラの検事が幹部に黙って証拠の改竄をするものだろうか。これは暴力団組長の使用者責任のような話であり、「部下（＝子分）が勝手にやったことだから、私は知らない」で通用するわけがないのだ。

しかし、裁判所は被告人の主張を一蹴したのだ。

「私たちの主張と事実に向き合おうとしない裁判所に深く失望した」

「信念は変わらないが、社会には受け入れねばならない不条理がある。熟慮の上、これを静かに受け入れ、三年間の闘いに幕を閉じることにした」

控訴審判決を受けて記者会見した二人の検事は、最高裁には上告しないとしたうえで、裁判所を批判した。

一方で、二人は自身の懲戒免職処分の取り消しなどを求める訴訟も起こしていたが、取り下げている。

『FACTA』の記事には、「（当時の検察トップである）笠間治雄検事総長が、強引すぎる捜査手法に眉を顰め、検察内における立身出世を断念させるような人事異動を示した」とあるから驚く。

その気になれば総理大臣も逮捕できる立場の検事総長にすら、大鶴部長の捜査手法は「強引」に映ったのだ。

この笠間総長に対して、大鶴部長は「強引な捜査を行ったことはありません。法令に従って捜査を進めてきました」と釈明したというが、結局は検察官を辞めて弁護士になった。

検事上がりのいわゆる「ヤメ検」弁護士は、刑事裁判を有利に進められるといわれるが、「徹底して無罪を争う」のではなく、執行猶予や情状による減刑など「落としどころ」を探すといわれる。

ゴーン元会長のように無罪を主張するのであれば、国策捜査を強引に指揮してきた大鶴弁護士は人選ミスだったと思う。

大鶴弁護士が元会長の弁護でどのくらいの報酬を得ていたかはわからないが、『FACTA』によると同様に特捜部長を務めた石川達紘弁護士の推定年収は一億円とされている。

石川弁護士は、平成三十年二月にアクセルを踏み誤って車を暴走させ、そばを歩いていた三十代の男性をはねて死亡させる事件を起こしているが、二十代の女性とゴルフに行く途中だったことも報じられている。

死亡事故にもかかわらず、禁固三年・執行猶予五年の有罪判決が確定していたが、令和五年九月になって石川弁護士が運転していた車の製造元であるトヨタ自動車と販売会社に五千万円の損害賠償を求める訴訟を東京地裁に起こしたことで批判されている。

訴状によると、賠償請求の理由は、弁護士も骨折などの怪我を負ったこと、車の突然の暴走に恐怖を感じたこと、さらに弁護士資格を失ったことなどだという。

この件について、ホリエモンはSNSで「ただでさえ特捜部長とし罪もない人をどん底に陥れた上に、明らかにアクセルとブレーキ踏み間違えてるのに人を殺して人のせいにする最悪の人間」「実刑にならなかっただけマシと思えや。たぶん裁判官も身内贔屓でそうしてんだからよ」などと辛辣にコメントしていて、面白かった。

マスコミは慎重な報道を

検察の暴走はどうすれば止められるのか。

私は、まずマスコミがちゃんと報道してほしいと思う。

検察や警察が「犯人」とすれば、まだ裁判も始まっていないうちからニュースでは有罪確定である。判決が確定するまでは無罪と考える「無罪推定」などカケラもない。

誰かが逮捕されたり、「逮捕の噂」が出たりした時には、「その人は本当に犯人なのか」という視点で取材してほしいのだ。

ライブドア事件の報道をめぐっては、週刊朝日（平成二十四年九月二十六日号）で当時の山口一臣編集長とジャーナリストの上杉隆氏が報道の問題点について対談している。

ホリエモンの起訴は、証券取引法（「偽計及び風説の流布」と有価証券報告書の「虚偽記載」）だったが、マスコミはインサイダー取引やマネーロンダリング、脱税による不正蓄財、暴力団との黒い交際の噂までいろんなことを書いていた。

ホリエモンと同様に、参議院議員の鈴木宗男氏も報道被害を受けている。宗男議員の場合は、「疑惑の総合商社」と呼ばれ、めちゃくちゃ悪いことをしているように毎日報道されていた。

しかし、実際には受託収賄・あっせん収賄・政治資金規正法違反・議院証言法違反という微罪ばかりであった。本来であれば収監されるような事件ではないし、そもそも冤罪なのだ。

宗男議員は一貫して無罪を主張しながら法に従って服役もしているが、仮釈放の時も検察のマスコミリークが問題になった。

宗男議員は平成二十三年十二月に仮釈放されたが、仮釈放の日程は家族に知らされる前に報道されたのだ。報道で知った支援者らから問い合わせが殺到し、鈴木宗男事務所のスタッフや家族が対応に追われることになった。

こうした検察のリークなど許されることではない。

事態を受けて宗男議員が代表を務める新党大地に所属していた衆議院議員の浅野貴博氏は、すぐに国会で「刑法に規定される仮釈放に関する質問主意書」を提出したが、「検察庁は仮釈放についても適切に処理している」との回答であった。

「あの頃は雨が降っても雪が降っても『鈴木のせい』と言われた」と宗男議員は今でこそネタにしているが、刑務所まで行ってもまた議員として活躍できているのはすばらしいことである。

週刊朝日の対談では、ホリエモンの逮捕について「検察が言っていたことが、ほとんどデタラメだったことがわかってきた。ぼくら（＝マスコミ）は検察の世論操作の道具に使われていた」と山口編集長は振り返っているが、これはそのまま宗男議員の事件にも当てはまる。

検察の発表を鵜呑みにして、鈴木宗男議員や佐藤優外交官を「悪者」に仕立てていったのはマスコミである。

検察の「暴走」に対して、マスコミがきちんと検証すれば、「疑惑の総合商社」のような言葉は定着しなかったはずだ。

マスコミにも猛省を促したい。

第三章　「大阪万博」は日本の問題の集大成

「日本のすべての問題」を浮き彫りにした大阪万博

「国民の反対が多くなったとしても、万博は絶対にやめない」

令和五年十一月、ネットニュースのＡＢＥＭＡニュースに出演した日本維新の会の馬場伸幸代表が、こう断言したという。

これを「男前」と見るか、「税金泥棒」と見るか。インターネット上では批判が強いようだ。記事によると、建設費の高騰と工事の遅れなどから「中止論」が出ていることに対して、馬場代表は「名称は大阪・関西万博となっていますが、国のイベント。主体的に国が費用負担していく。その中で地元や経済界にも負担をお願い。当然の話だ」といつもの持論を繰り返している。

誘致当初の発表では、会場建設費は「千二百五十億円」としていたが、令和五年九月の段階でほぼ二倍の「二千三百五十億円」となり、まだ増えそうという指摘もある。

また、「世界最大級のムダ」といわれる「木造リング」への風当たりもすごい。

三百五十億円もかけて作った上に、閉幕後は撤去して「再利用」されるというが、何に再利用するのだろうか。

これらの費用は、国と大阪府・市、経済界が三分の一ずつ負担することになっている。既に大阪市民は赤ちゃんからお年寄りまで一人当たり一万九千円の負担となることが報道されているが、まだ増えるかもしれない。四人家族では八万円になる。これで怒らない市民はどうかしているが、馬場代表は反対が増えてもやめないというのだ。

「やめると、日本の国のイベントだから世界から信用を失う。未来永劫、日本が世界を巻き込むイベントに名乗りをあげるということができなくなる」からだという。大阪ではほとんど反対がなく、引き続き説明を続けていくというが、どうなるのだろうか。

海外からの参加国も少なく……

令和七年四月に開催が予定されている大阪万博については、「ええ話」が一つも聞こえてこない。

特に、令和五年夏頃からはパビリオン建設問題が深刻になっている。開催まで二年を切った五年九月の段階で、韓国、チェコ、モナコ、サウジアラビアの四か国が独自のパビリオン建設の「基本計画書」を提出したことが報じられたが、逆に言えば他の国はまったく着手していない。これでは間に合うわけがない。着工には「仮設建築物許可申請」も必要で、基本計画書はその前段階なのだ。

当たり前だが、万博とは国際イベントである。

大阪万博もアメリカや中国、フランスなど百五十三か国と地域、EU（欧州連合）や国連など八つの国の機関も参加を表明している。令和五年九月現在でロシアも参加予定国の一つである。

各国が出展するパビリオンには、国や地域が自前で建設する「タイプA」、博覧会協会が建設したパビリオンを提供する「タイプB」、博覧会協会が建設したパビリオンを複数の国で使う「タイプC」があり、カネはかかるが各国が自由に建設する「タイプA」は「展示の華」といわれている。

この「タイプA」を建設する方針の五十か国は、開催まで二年を切っているのに、工事の「基本計画書」を大阪市に提出したのは令和五年九月の時点で韓国、チェコ、モナコ、サウジアラビアの四か国のみだ。

そもそも「タイプA」は斬新なデザインや目新しい技術などで客を集めるために、普通の建設作業より人手も時間もかかってしまう。

万博協会はプレハブの導入も決めたことが報じられたが、そんなものに七五〇〇円もの入場料を払う人がどのくらいいるのか。そもそもプレハブもそれなりに経費はかかる。

だが、党の選挙公約として「大阪万博開催」をあげていた日本維新の会はもちろん、政府も「延期や中止は考えていない」と強気である。何が根拠なのかはわからないが、現場の担当者の尻を叩けば何とかなると思っているのだろうか。

一方で令和五年夏頃に行われたマスコミ各社の世論調査では、国民の半数以上が万博には「興味がない」と答えている。

入場料が高すぎるのだ。

大人（満十八歳以上）で一人七五〇〇円だという。ディズニーランド（東京ディズニーリゾート）やUSJ（ユニバーサル・スタジオ・ジャパン）とほぼ変わらない。

テーマは「いのち輝く未来社会のデザイン」で、人工知能（ＡＩ）や仮想現実（ＶＲ）などを体験できる「最先端技術の実験場」にするコンセプトだというが、まったくイメージがわいてこない。

かつての万博は、電気自動車や携帯電話、缶コーヒーの実用化など今では当たり前の「新技術」をアピールする場でもあったが、大阪万博では未来に役立つ技術が発表される気配はない。令和五年三月には、大阪市の大阪城公園で一人乗りの「空飛ぶ車」が披露されたが、これとてヘリコプターとの違いがわからないし、その後に展示がないことも明らかになっている。

万博については、内容よりも建設業界を中心に「前売り券をたくさん買わされた」「ただでさえ職人も建築資材も足りないのに、パビリオン建設に持って行かれたら死活問題」などという声のほうが圧倒的に多い。

東京五輪の失敗から学べなかったこと

令和七年の万博開催国に日本（大阪）が選ばれたのは、平成三十年十一月であった。平成十七年の愛知万博、昭和四十五年の大阪万博以来の開催である。

パリで開かれた博覧会国際事務局（ＢＩＥ）総会では、大阪のほかロシア（エカテリンブルク）とアゼルバイジャン（バクー）が名乗りを上げていた。決選投票はロシアと日本だったが、もしもロシアが選ばれていたら、ウクライナとの関係は変わっていたかもしれない。

私は万博の開催そのものに異議を唱えるものではないが、もっとやりようがあったと思うのだ。

ニュースでは、毎日のように民間では考えられない額の予算オーバー、建設作業員不足、資材不足と価格高騰、短すぎる建設期間、海外出展の不振などが伝えられ、うんざりする。

また、今回はいろいろなタイミングが悪すぎた。コロナと円安である。

万博開催が決まった翌々年の令和二年二月にコロナ禍が問題化し、その影響で東京オリンピック開催が一年延期されている。

そして、その前から続いていた原油価格の高騰も令和二年春から顕著になり、令和四年二月にはロシアによるウクライナ侵攻が始まり、円高ドル安は三月から続いている。そして、東京オリンピック（令和四年開催）をめぐる不祥事も万博の企画の足を引っ張っている。

東京オリンピックのスポンサー契約のために、電通、紳士服のＡＯＫＩホールディングスや出版大手のＫＡＤＯＫＡＷＡなど五つの企業の経営幹部やオリンピック組織委員会の高橋治之元理事ら十五人が起訴されているのだ。

高橋元理事は電通の元顧問でもあり、逮捕によって政府や東京都、大阪府なども電通の入札参加資格を令和五年二月から約一年にわたって停止したこともわかっている。広告を仕切る電通をマスコミが批判できるわけはない。持ちつ持たれつでやってきたのである。

検察庁は電通の体質はわかっていたから、以前から狙っていたのだと思う。そして、いったん逮捕となったら容赦しないのだ。

たとえば贈賄の疑いで逮捕・起訴されたＫＡＤＯＫＡＷＡの角川歴彦元社長は、八十歳近いというのに、七か月も勾留されていた。

贈賄がいいとは言わないが、人を殺したわけでもないのに、後期高齢者をそんなに長期勾留してどうするつもりなのか。

長期勾留の主な理由は「否認」である。とにかく認めるまで勾留するのが検察と警察なのだ。

事務所や自宅を徹底的に捜査して証拠品を押収したら、それでもういいではないか。元社長は勾留中にコロナウイルスに感染、肺炎も起こしたという。また激しい頭痛と耳鳴りを訴えて意識不明にもなっていたようだ。

こんなおじいさんを延々と勾留したところで健康に悪いだけで、単なる税金の無駄遣いであるが、これが「人質司法」なのだ。

これは先進国では日本だけのようで、イギリスやアメリカで大手企業の幹部が逮捕されたら、保釈金を納めればだいたい二十四時間以内に保釈されると聞いている。

詳細は前著『5億円横領された社長のぶっちゃけ話』にゆずるが、私の場合も、まったく同じであった。

しかも「取り調べ」は雑談ばかりで毎日一時間程度。こんな私の勾留にも、食費や水道光熱費、警備費などが税金で使われている。

警察庁の令和五年度の予算を見ると、国内の「留置管理」に五千八百万円ものカネが使われている。食事は菓子パンみたいなものだが、コロナウイルスなどの感染対策の消毒薬やマスクなどにも予算が割かれている。

「勾留しなくてもいい人」を勾留しなければ、この予算はかなり減らせるはずだ。役人にはこうした経済観念はない。単に懲らしめるために否認を続ける者を長く勾留したところで、役人の懐は痛まないからだ。

電通とジャニーズ事務所の共通点

万博は、構造的には東京オリンピックと同じで、すべて「電通頼み」で税金をふんだんに使うという前提である。これまでずっとそうだったのだから、電通がいなければ進まないのだ。

ところで、なぜ広告代理店である電通が国際イベントを仕切る大きな力を持っているのだろうか。

電通の公式サイトにある社史などによると、二〇世紀が始まった明治三十四年、小さな広告と新聞の会社としてスタートした電通は大正デモクラシーの波に乗って売り上げを伸ばしていった。

特に戦後から昭和三十八年まで四代目社長を務めた吉田秀雄の「取組んだら放すな！殺されても放すな！目的を完遂するまでは……」などで知られる「鬼十則」によって「猛烈社員」が養成された。

今は死語となった「猛烈社員」だが、昭和三十年代はがむしゃらに働くことこそがトレンドであり、日本の高度経済成長を支えてきた。当時まだガキだった私は「猛烈社員」のように家族や社会のために一生懸命に働くのが当然だと思っていた。自分では精一杯やったと思っている。

一方で、電通では早くから過労死が問題になっていた。死ぬほどではなくても、多くの社員が過労とストレスから胃潰瘍などになっていたのも有名な話である。

社内では「胃を切って（胃潰瘍の手術をして）やっと一人前」と言われていたそうだが、

そこまでしなくては会社は大きくできなかったのだろう。

昭和三十九年に開催された東京オリンピックも電通が仕切ったが、この時は特に儲かってはいない。商業的に成功したのは昭和五十九年のロサンゼルスオリンピックからだといわれている。

当時の大会組織委員会のピーター・ユベロス委員長は、協賛企業に「五輪マーク」の使用を認め、テレビ局からは高い放映権料を取ったので、二億ドル以上の黒字を出したといわれる。

これはオリンピック史上初のことで、儲かるとわかると、その後はマークの使用料や高い放映権料をサッカーのワールドカップなど他の国際大会でも取るようになった。

ロス五輪の際、当時の電通は既にスポンサーとの交渉、ライセンスの管理、入場券の取り扱いを独占的に扱う権利を得る力をつけており、それ以前のワールドカップなども電通が仕切ってきた。

令和四年に受託収賄の疑いで起訴されたオリンピック組織委員会元理事の高橋治之氏は電通の元顧問・専務であり、ロス五輪の頃には若手社員として活躍している。

電通は長年にわたって国際的なイベントを仕切り、他の追随を許さなかった。代わりの会社がないのだから、急に指名停止になれば困るのは現場である。

この電通の「不在」は、次の令和十二年冬季オリンピックにも影響が出た。招致計画が中止されたのだ。

令和五年九月には、冬季オリンピック招致を目指す札幌市が招致の賛否を市民らに問う意向調査の経費計上を見送ったことが報道された。

調査もしないでどうやって支持を集めるつもりなのかわからないが、招致に使われた費用の二十七億円はムダになった。これも電通に丸投げしていたからではないか。

そもそも電通以外に国際イベントを仕切れる業者を育てられなかったのは、誰の責任なのか。

これは、ジャニーズ事務所の問題も同じだと思う。どちらも最初は小さな会社だったのに、独占的な立場になった理由は大手マスコミとの関係だろう。マスコミ側も電通やジャニーズの恩恵にあずかり、過労死から強姦まで多くの問題を「忖度」して追及してこなかった。

テレビのジャニーズ事務所のニュースを見ていると、まるで他人事のようだ。今までこの問題を知らなかったわけがない。この体質は変わらないのだろう。

「起こるべくして起こった」工事の遅れ

万博に話をもどそう。

日本政府が出展するパビリオン「日本館」の建設工事費用も、いつの間にか上がっていた。当初予算の六十七億五千百八十万円より九億円もオーバーした七十六億七千八百万円になっていたことが報道された。

令和五年一月に実施された入札公告では予定価格内の応札がなく、一般競争による再入札はもう開幕に間に合わない可能性があるとして、随意契約に切り替えたという。

切り替えた、というよりは清水建設に「泣きついた」のではないかと想像する。複数のゼネコンに声をかけたが、応じる意向を示したのが清水建設だけだったようだ。

ここまで停滞したのは、万博協会が機能していないことにあったと複数のメディアが報じている。

また、当初は海外パビリオン建設に前向きだったが、協会がまったく動かないために撤退したと証言するゼネコン関係者もいる。

工期は絶望的だが、建築資材の高騰はもっと深刻だ。

令和四年二月からのウクライナ戦争によって石油やガスなどの価格が高騰し、そこに円安が追い打ちをかけている。資材の不足と価格の高騰とともに人手不足では打つ手ナシである。

では、建築資材はどのくらい上がっているのか。

平成二十七年を「一〇〇」とした建設物価調査会の「建設資材物価指数」から大阪市の建設資材の価格（都市別・部門別指数）を見ると、令和五（二〇二三）年七月は一三七・六と、八年前より四割近くも値上がりしていることがわかる。

残念ながらウクライナ戦争も終結が見えず、便乗値上げを防ぐ有効な手立てもないので、建築資材はさらに値上がりすると思われる。

総工費の値上げ分は資材の値上げ分がほとんどなので、現場の職人の工賃は上がらない。

これでは現場の士気は上がらず、若者が集まるわけもない。

厚生労働省の「毎月勤労統計調査」によると、令和五年六月の建設業従業員五人以上の月給（現金給与総額）は五十六万千四百九十九円で、前年同月比三・九パーセントも減少し、全産業の中で最も高い減少幅となったことがわかる。

このことは、もっと報道されるべきだと思う。

私は、従来からの「中抜き」がさらにひどくなっているのではないかと考える。日本はもともと商慣行として問屋などの中間業者が多い。物流が発達していなかった前近代までは、問屋は必要な存在であった。

ところが、東京オリンピックは電通による「中抜き」が前提だったことがわかっている。開催前から終了までの約四年間、組織委員会の事務局に電通から十人ほどの事務員が出向していたのだが、組織委員会から電通に対して一人当たり「一日二十万円」の人件費が支払われていたと報道された。

出向者本人に支払われたのは、せいぜい一日一万円ほどであろう。出向者の仕事はお茶を淹れたり、関係先に書類を届けたりする程度であったという。

彼らは年間二百日くらいは働いていたと考えられるから、莫大な金額が電通に入ったことになる。

厚労省「令和四年就労条件総合調査」によると、年間の休日日数の平均は百十五日、年次有給休暇は十八日なので、年間の労働は平均して二百三十二日である。

すると、一人あたりの人件費は年間四千六百四十万円にのぼり、それが四年間続いたのである。ざっと一億八千万円、十人いれば十八億円以上。もちろんぜんぶ税金である。このカネは電通が国や都に返すべきではないのか。

さすがに建設業界はここまでのことはないが、元請から下請け、二次下請け、三次下請けと、下請け構造が広がるほど末端の労働者に落ちるカネが減っていくのは同様である。

夢洲の悪夢は終わらない

万博をめぐるもう一つの問題が、「夢洲《ゆめしま》」である。

大阪府・市は万博に合わせて会場となる大阪湾の人工島・夢洲でカジノを含む統合型リ

ゾート（ＩＲ）の開業も目指すとした。最初からカジノが目標だったともいわれている。

大阪市此花区に位置する夢洲は、大阪北港に近い大阪湾に浮かぶ人工島で、目立つ建築はコンテナ埠頭とメガソーラー発電所程度である。

「夢洲」という名は、平成三年に公募で決められたが、報道によると、当時は特に注目されていたわけでもなかった。

平成九年には、二十年オリンピックの選手村の候補地として注目されたが、誘致には失敗した。

平成十一年にはＰＣＢ（ポリ塩化ビフェニール）汚染土を埋め立て処分していた問題が発覚、二十一年には予定されていた地下鉄事業が休止となり、釣りくらいしかできなくなっている。

平成二十四年には、東日本大震災で発生した瓦礫の焼却灰を埋め立てに使うことで注目され、その後は万博の候補地として注目されている。

一方で、埋め立て地ゆえの課題も抱える。

もともと産業廃棄物などで埋め立てたので、地盤が弱い。同じく埋め立て地の完全な人工島に作られた関西国際空港は地盤沈下が問題視されてきたが、夢洲はそれ以上の沈下も想定されている。

沈下を防ぐには、鉄筋コンクリート製の杭を何十本も打ち込むが、その費用は予算には入っていない。また、万博閉幕後には鉄杭を撤去するので、抜き取り作業と抜いた杭の廃棄にまた費用がかかる。これらを含めれば会場建設費は二倍以上になる可能性もある。

令和二年十二月には、当初予算「一千五十億円」から「千八百五十億円」に引き上げられて国民の批判を浴びたが、その後も増額のニュースは続いている。

会場だけではなく、夢洲への道路整備にもカネがかかる。

高速道路の建設も、当初の千百六十二億円から二千九百五十七億円と二・五倍になり、地下鉄の延伸工事も土壌汚染対策などで二百五十億円から二倍か三倍の費用がかかるとの話もある。

また、周辺の駅や道路の整備の費用もふくらんでいくので、最終的には一兆円を超えるとの予測も出ている。万博が開催される半年間で来場者がたくさん来てくれればいいが、国民の関心は薄い。

こんなにカネをかけて開催するメリットはどこにあるのか。

維新に協力する「義理」はない自民

私は「働き方改革」は「怠け方改革」だと思うが、過労死は論外である。「いのち輝く未来社会のデザイン」がテーマであるのに、開催時期に合わせて急ピッチで工事が進められることで過労死が増えたら、元も子もないではないか。

万博パビリオン建設の労働時間をめぐっては、「２０２４年問題」も注目されている。「２０２４年問題」については別稿で書いたが、時間外労働の規制が全業種に適用されるタイムリミットの問題である。

ただし、「２０２４年問題」については、もともと建設業界は重視してこなかった。現実的ではないからだ。

私も無理だと思う。

ところが、パビリオン建設について万博協会が残業規制の適用除外を求めると、加藤勝信厚生労働相は「(残業規制の適用除外とは)一般的に緊急災害や客観的に避けることができない場合に限られ、単なる業務の繁忙では認められない」と突き放した。

私も安易な残業規制には疑問しかないが、この答弁は「自民党が維新を嫌いなだけ」なのではないかと思った。

維新は関西では依然として人気があり、保守政党として改憲も掲げているから支持層もかぶるので、自民にとっては危険な存在である。たびたび選挙でも対立してきた。

自民党としては万博を積極的につぶすことはないが、別にムリして維新を助ける必要はないということであろうか。

また、自民党の支持基盤であるゼネコンも維新に協力する義理はないと考えているのだろう。

令和五年七月の段階で、「令和五年以内にパビリオン建設に着工すれば開幕には間に合う」とした万博協会の事務方トップ・石毛博行事務総長に対して、清水建設の宮本洋一代表取締役会長は「何を根拠にそうおっしゃっているのか、わかりません」とあからさまに冷たい態度である。

世論調査で六十五パーセントが「万博に興味ない」と回答したと報じるあたり、読売新聞も同様なのだろう。

令和四年の参院選での自民と維新の批判合戦など、過去の経緯からすれば当然の流れといえるが、万博が不評なら国際社会で恥をかくのは維新ではなく日本であり、赤字補填を負わされるのは、我々日本の国民である。

維新の「責任転嫁論」が炎上

「万博というのは国の行事、国のイベントなので、（遅れが）大阪の責任とかそういうことではなしに、国を挙げてやっている」

令和五年八月三十日、海外パビリオンの建設が大幅に遅れていることについて、日本維新の会の馬場伸幸代表が党の会合でこう述べた。写真週刊誌『ＦＬＡＳＨ』や日刊紙などが報じている。

この記事についてネットでは、「誘致を計画して夢洲に決めたのは維新なのに責任転嫁ではないか」といった批判が集中した。

その一か月前の七月二十五日には、吉村洋文知事が全国知事会で「万博は国家プロジェクト」と強調しており、「いい成果は維新のもの、失態は国家のせいにするのか」と叩かれた。

さらに、九月二日には元大阪市長の橋下徹弁護士がインターネットテレビに出演、国民が万博に関心を持たないのは「報道しない東京のメディアのせい」と断じたが、これについても「決めたのは維新」「批判は的外れ」といった指摘が目立った。

一方で、吉村知事が「万博の言い出しっぺは松井代表と橋下氏」とSNSで明かし、訴訟沙汰の際には費用を橋下に請求するとまで書いている。子どものケンカのような有様だ。

また、既に政界を引退している日本維新の会の松井一郎元代表も、「岸田政権になって距離感は変わった」と話したことがニュースになっていた。

「安倍政権と比べて万博に力は入っていないのでは」と、万博協会に「もっとリーダーシップを」と苦言を呈したと令和五年七月二十九日付の産経新聞電子版が伝えている。

松井元代表は安倍晋三政権時代に大阪府知事として万博誘致に関わってきたからこその発言である。

産経新聞の記事には、いつ、どのような場で話したのかは紹介されていないが、松井元代表の著書『政治家の喧嘩力』（令和五年、PHP研究所）によると、元代表が安倍総理（当時）に万博誘致を切り出したのは、平成二十七年の忘年会だった。

著書には、元代表が「総理にお酒を注ぎながら、一生懸命、持論を展開」し、総理が「それは挑戦しがいのある課題だよね」と言って、隣席の菅義偉官房長官（当時）に「菅ちゃん、ちょっとまとめてよ」と指示、菅官房長官は大阪府に協力するよう経産省に指示した。こうして万博誘致が動き出したというのだ。

これでは、「なんや酒の席でテキトーに決めたんかい……」と思われてもしかたないが、それが通用していた時代もあったということだ。

今回はコロナ禍から電通の指名停止までいろいろ重なってしまったが、これを「運が悪かった」と決めつけるのはまた苦しい。

不祥事の責任を誰かになすりつけるのも、「電通頼み」も今に始まったことではないが、では誰が仕切るのか。万博協会の役員に名を連ねているのは、十倉雅和会長（経団連会長）以下、大物ばかりで事務方は見当たらない。現場の調整などするわけもない企業や団体のトップ、大学教授などばかりである。

この十倉会長は、万博の建設費の増額や消費増税に対して「やむをえない」と発言して、インターネット上で「庶民を怒らせる天才」「他人のカネだからどこまでも無責任」などと批判されている。

また、経団連は国からの政党交付金制度があるにもかかわらず毎年約二十四億円を「社会貢献」として献金してきた。これについて、令和五年十二月に十倉会長が「何が問題なのか」と会見で発言して、これまた炎上した。

「民主主義を維持していくにはコストがかかる。企業がそれを負担するのは社会貢献の一つだ」と説明していたが、それはわかるし、政治にカネがかかるのもわかるが、透明性がまったくない。これを改めない限り、裏金問題は終わらない。

話がそれたが、維新の幹部らがいくら「万博は国家事業」と言ったところで、維新が言い出して進めてきたことは事実である。

岸田文雄総理らは、運営が危うくなってきた段階で「国の責任」と泣きつかれても、冷たくはできないが「今さら……」というのが本音だろう。

「マイナ保険証」も仕切り直しを

万博と、マイナンバー制度はいろいろな意味で似ていると思う。

令和五年は万博とともに「マイナンバー制度」への批判が高まった年でもあった。

私は社会のデジタル化には賛成の立場だが、マイナンバー、特にマイナンバーカードを健康保険証として利用する「マイナンバー保険証」は仕切り直しが必要だと思う。

ここまでトラブル続きなのはめずらしいのではないか。

ＮＨＫは、令和五年六月時点でマイナンバーカードに「本人ではない家族名義と見られる口座」が十三万件も登録されていたことを報じているが、このほかにも、たくさんのミスがあるのはどういうわけなのか。
・マイナンバーと一体化した「マイナ保険証」に別人の情報登録
・年金など公金の受取口座を別人のマイナンバーに登録
・マイナンバーカード登録の際に付与される特典「マイナポイント」を誤って別人に付

与
・マイナンバーカードを使って申請した住民票写しなどの交付で別人の証明書を付与
・本人が希望していないのにマイナンバーカードと健康保険証を一体化させた
もうぐちゃぐちゃである。

「マイナ保険証」に別人の情報が登録されるミスは七千三百件余り、公金受取口座の誤登録は七百四十八件も確認されている。民間ならとっくに倒産しているし、社長は損害賠償請求訴訟をたくさん起こされているはずだ。

こんなアホみたいなミスが相次いでいるのだから、五年九月度の利用率が四・五四パーセントなのも当たり前である。誰も使いたいと思わない。

だが、政府は利用促進のために五年度補正予算案に八百八十七億円の関連費用を盛り込んでいる。呆れるばかりである。

別人の口座が登録されたケースについては、令和五年二月ごろから国税庁が指摘、デジタル庁でも把握していたにもかかわらず、具体的な対応を取っていなかった。

なぜこれほどの不祥事を放置してきたのか。

理由と原因はたくさんあるのだろうが、なぜか政府は「人為的なミス」を強調してきたと、ＮＨＫも指摘している。何でも「人のせい」である。

窓口で申請者あるいは担当者が「うっかり」間違えた、ということにしては多すぎるではないか。

たとえばマイナンバーカードには名前の読み仮名が登録されていないが、金融機関の口座はカタカナで登録されている。マイナンバーカードの「神行武彦」と銀行の「カンギョウタケヒコ」が同じ名義であるか照合できないというのだ。

アホである。

これでは赤の他人でも登録できてしまうのは当たり前だ。これには、マイナ保険証の普及を急ぎ過ぎたのも原因のようだ。拙速ではミスが増えるに決まっている。

コロナの給付金支給の遅れが批判されたことを教訓に、デジタル化を焦ってしまったことも一因だといわれる。

しかも一時期は「マイナポイント」目当てに申請が殺到したことで、自治体の窓口がパンク寸前になっている。窓口では、事務負担軽減のために二段階認証としていた本人確認の手続きを「一回の確認」としたことも災いしたようだ。

マイナポイントとは、「マイナンバーカード」を登録すればもらえる「買い物に使えるポイント」で、最高で二万円分がもらえるとあって、申請が激増した。

令和五年六月四日の累計で九千七百七万枚余りと国民の七十七パーセントにのぼり、三年三月末の二倍以上になっている。

そもそもマイナンバーカードを発足させた当初は、「持ち歩くな」「番号は誰にも見せるな」と周知していたのに、いつの間にかそんなことは忘れられている。

カードの普及率が上がらないからとあれこれと紐付けし、「マイナポイント」を餌に登録数を増やした結果が、「他人名義カード発行問題」「ミス続出」という不祥事である。

本末転倒過ぎる。

個人番号の制度のない国のほうがめずらしいのだから、立ち上げの時に成功例から学ぶべきではなかったか。

アメリカはもともとプライバシーにうるさいと聞いていたが、「税金や社会保障関係の管理のために個人カードは必要」という立場で、個人カードは普段は持ち歩かないように注意喚起しているそうだ。日本のように個人カードを運転免許証や健康保険証などと一本化させようとしている国はないだろう。

個人カードのシステムづくりは政府が中心になって、技術者たちと、きちんとした開発を進めるべきだった。しくみがしっかりしていれば、コロナ禍の各種の給付金ももっと早く支給することができたし、紛失・盗難の対応、不正受給防止もできたと思う。

「新規事業のトラブル」の原因

要するに、「やり方」がおかしいのである。

二〇二三年のマイナンバーの不具合は、あっという間になくなった新型コロナウイルス感染を調べる接触確認アプリCOCOAを思い出させる。COCOAはそばに感染者がいると知らせるアプリで、「使い物にならなかった」という印象しかないが、ここにも下請け問題があった。

報道によると、厚労省はCOCOAの開発をIT企業「パーソルプロセス&テクノロジー」に委託したが、パ社は開発期間が短かったため一部の業務を下請け企業に委託し、さらに孫請けを含めてなんと合計で六社になっていた。

ＣＯＣＯＡの開発・普及という「一つの仕事」になぜそこまでつぎ込むのか。

厚労省も、この六社の役割分担がきちんとしていなかったことや、厚労省側にも専門的な人材が足りない上に異動が多かったことなどがＣＯＣＯＡの不具合の原因だと認めており、報告書にまとめられている。

ただし、「まとめただけ」である。誰かの首が飛ぶわけでもない。

そもそもこうしたプロジェクトについて、霞が関で実際に契約するのは現場の人間ではなく、もうすぐ定年でスマホもロクに使えないようなオッサンばかりだ。

厚労省の人材不足、受注業者の下請けへの丸投げ、発注側（国）と受注側（民間）の連絡体制の不備、絶対にムリな短い工期。これでちゃんとしたものが作れるわけがない。しかも発注した六社への契約金だけで約十三億円という莫大な税金をつぎ込んだのに、誰も責任を取らない。

これは、日本全体で起こっていることだ。マイナンバーも、公共工事も万博もまったく同じである。

マイナンバーだけではない。日本は役所ごとにデータベースがあることが、まず税金の無駄遣いである。厚労省は健保や年金、市区町村は住民票、警察庁は運転免許証、外務省はパスポートなど「一人の国民」についてあちこちに「データ」が存在する。

請け負う業者もそれぞれで、各企業はライバル同士だから、他社が使えないような複雑なシステムにしている。

これらをぜんぶ紐づけようというなら、各省庁と各業者との綿密な打ち合わせと相当な時間が必要だが、既得権益が絡んでいるので、まずムリだ。

だが、本来は税金や健保、年金などはマイナンバーで一括管理できれば人員や経費の削減は進むと思う。

クレジットカードの有効活用が急務

ここまで失態が続いていても、マイナ保険証も万博も仕切り直しや廃止の気配はない。

どちらも多額の税金を投入しながら準備をきちんとしなかったために、どうにもならなくなっているのだが、誰も責任を取るつもりはなく、税金だけがどんどん使われている。マイナ保険証は廃止して、紙の保険証はひとまず残しておき、クレジットカードの活用を考えてはどうか。

私の体験でいうと、旅行先のアメリカで駐車違反の切符が切られた時に、罰金がクレジットカード会社を通じて私の口座から引き落とされたことがあった。これはいい制度だと思った。

交通違反の反則金などを払わない者に対して何度も郵便で督促状を出すより個人番号に紐付けしたクレジットカードから引き落とせば一度で済む。

また、海外では電車など公共交通機関でクレジットカードのタッチ決済が普及しているが、日本ではなぜかＪＲや東京メトロなど大手電鉄は及び腰で、一部の路線でやっと実証実験が始まっている程度である。

外国人観光客にも日本人にとっても、プリペイド式のカードより自分が普段使っているクレジットカードのほうが使いやすい。なぜ進まないのか不思議である。

デジタル先進国に学べない日本

マイナ保険証の問題以前に、日本の健康保険制度がいろいろありすぎることが問題である。

公務員は共済組合、民間は健康保険組合、自治体の健保や業種ごとの国保など国内の保険機関は三千を超えるといわれ、それぞれが個別にデータを管理しており、政府が全体を管理するのはムリなのだ。

デジタル管理するには制度の簡略化が大前提だが、どの制度も少しずつ改良されてきたので、とにかく複雑になっている。年金も同じだが、平等に支給するために細かく計算するようにしてきた。「悪平等」なのだ。

日本の「お役所」は、こうした構造的な問題を抱えている。大枠は政府が決めるが、細かいところは自治体が負担するのである。何でも自治体任せにしないで、政府でできるところは政府が管理すべきなのだ。

とはいえ既存の制度をいったん廃止してゼロから組み立てる発想はなく、改革のために大ナタをふるえる政治家もいない。

また、マイナンバーも「カード」は作らなくてもよかったはずだ。国民一人ひとりに番号は振ってもカードを作っていない国は多い。健康保険証や障碍者手帳などには番号は書いてもいいのではないか。

別個にカードがあると本体の印刷や送付の経費のほか「カードを読み込む機械」を作る経費、配布する経費、その改良やメンテナンスの経費と果てしなく広がっていく。

なぜわざわざここまで複雑にするのか、私にはわからない。

もっと問題なのは、国会議員がどのくらいマイナカードを持っているのかがわからないということだ。新規の国家プロジェクトなのだから、国会議員と地方議員は全員持っていて当然ではないのか。

週刊誌『ＦＬＡＳＨ』（令和五年七月六日付電子版）の記事によると、全衆議院議員四百六十四人にマイナカードの取得率を訪ねたところ、回答したのはわずか二百六人だったという。半分以下である。

しかも、岸田文雄総理や河野太郎デジタル担当大臣、松本剛明総務大臣などは「回答拒否」だったという。

聞いたことのない出版社であればしかたないが、『ＦＬＡＳＨ』を発行しているのは講談社のグループ会社である光文社であり、別に怪しい会社ではないのだから、取材に応じるべきではないのか。国民には多額の血税を投入したキャンペーンで取得を勧めているのに、国会議員が積極的でないのだから、取得が進むはずもない。

しかも自民党の議員であっても銀行口座の紐づけまではしていない例も多い。トラブルが続いているせいもあるだろうが、『ＦＬＡＳＨ』は「国民を混乱させながら、自らは様子見する議員が多い実態が明らかになったいま、マイナカード〝返納運動〟が激しさを増しそうだ」と結んでいる。

政治に必要なのは議論と決断

国会では、デジタル庁を立ち上げるにあたって、社会のデジタル化についてもっと議論すべきだったと思う。

国会議員はエッフェル塔前で記念写真など撮っていないで、デジタル化が進んでいる国の事例を学んできてほしい。

国内でも進めている自治体はある。石川県加賀市は、デジタル国家エストニアの事例を学んでマイナンバーカード交付率を国内トップにしている。

朝日新聞（令和三年九月七日付電子版）によると、加賀市は高齢化・過疎化対策としてデジタル化に取り組んできた。

加賀市の宮元陸市長は、面識のないITベンチャーのトップにフェイスブックから連絡、プロジェクトを始めたという。エストニア在住の日本人エンジニアである。

市長は役所内の冷たい視線に耐えながら、「デジタルの先進地になることで、人材と先端技術が加賀市に集まってくる。そうすれば人が増え、新しい産業も興ってくる」と考えてきた。こういう首長がもっと増えれば日本も変わっていくのではないか。

高齢者向けのスマホ教室の開催なども続けているが、それですぐに加賀市の抱える課題が解決するわけではないし、市民からは「デジタルにばかり税金を使うな」という批判もあるという。

しかも職員は新しいことを面倒くさがるに決まっている。

だが、それをさせるのが首長なのだ。

高齢者がスマホを使いこなし、スマホで手続きできることが増えれば、役所にわざわざ来なくてもいい。

市長は記事で「デジタル化の流れは避けられない、止まらない。だったら先にやった方がいいというだけです。人口減少に歯止めをかけたいし、地域をもう一度、再生させたい」と語る。今後は移住者や定住者を増やしたいという。

デジタル化すれば解決するわけではないが、デジタル化しなければ先に進めないということで、それは大賛成である。

こうしたことを決断できない政治家しかいないのが、現代の日本の問題点である。

万博を中止する勇気を

私は、大阪万博はもうやめていいと思っているが、鈴木宗男参議院議員は、令和五年十一月三十日付けの自身のフェイスブックで国家行事である万博の成功を呼びかけている。

「万博は国家的行事である。誘致をお願いした大阪府の責任、国として開催を決めた以上、一体となって推し進めるべきなのになにかチグハグである。

日本の威信にかかわる行事であり、成功に向け努力しなくてはならない」

まったくその通りであるが、大阪府も政府も仕切り切れず、時間とカネばかりがかかっている。国民が「一体」となっているのは、カネを払わされているところだけである。

宗男議員のコメントは、「万博、遅すぎた首相の危機感 維新が提唱、重い「置き土産」」と題した十一月三十日付の朝日新聞の記事を受けてのことである。

記事によると、「すでに延期論が取りざたされる異常事態に陥っていた」令和五年の八月三十一日、当時の岡田直樹万博相の「直訴」を受けて岸田文雄総理が「これからは、政府がイニシアチブ（主導権）を取って進める」と決意したという。

だが、それからも発表されたのは経費の増額だけである。

「もともと万博の誘致論は二〇一四年当時に大阪維新の会の代表を務めていた橋下徹・大阪市長が提唱。政府では、安倍晋三首相、菅義偉官房長官が牽引した。岸田政権の面々には『菅氏らの置き土産』との見方が強く、計画の遅れにも積極的に動いてこなかった。（略）それでも、参加国の撤退や膨らみ続ける費用など、難題は次々と押し寄せる。十一月末には国会での野党の追及で、会場建設費二千三百五十億円とは別に八百億円超の国費負担が生じることが分かり、新たな不信を呼んだ。

万博に関わる幹部官僚は『いつ誰が延期を言い出すか』とおびえる。閣僚のひとりは周囲に『準備は絶対に間に合わない。中止すべきだ』と漏らす。

公明党幹部は退路を断った首相が爆弾を抱えたとみる。『万博は成功したら維新の手柄、失敗したら首相の責任になる』」

宗男議員は、同じ日付のフェイスブックで「万博まで五百日となった段階でこうした指摘がされるのはどうしたことか」と指摘する。

宗男議員には「『今、何故するのか』『東京オリンピックだって1年延期したのだから大阪万博も延ばしたら』『世界に二十一世紀の日本を示すイベントなのに、地元大阪は何をしていたのか』『不参加の国がいくつも出ているが、排除の論理のツケが出ているのでは』といった声が寄せられているという。

「（フェイスブックの）読者の皆さんはどうお考えだろうか」

宗男議員のような実力と知名度のある議員が指摘したところで、うまくいくとは思えない。

日本という国は、いったん走り出したら止まったり、引き返したりすることができないのだ。

たとえば太平洋戦争初期の昭和十七年六月のミッドウェー海戦を思い出す。中部太平洋の北西ハワイ諸島にあるミッドウェー島を攻略して哨戒基地とするために、当時の連合艦隊司令長官・山本五十六大将が空母四隻を向かわせたが、暗号を解読していた米軍に返り討ちに遭ったのである。

それまでは日本が有利と見られていたが、この海戦で日本は主力の航空母艦四隻と多数の航空機を失い、劣勢に転じてしまう。日本が敗北するきっかけとなった海戦であり、ここで日本が負けを認めていたら、その後には国内の大空襲や原子爆弾投下もなかったといわれる。

しかし、負けを認めたくない日本は突き進むだけ突き進んでしまった。その結果、太平洋戦争では約三百十万人（このうち軍人・軍属は二百三十万人）が尊い生命を落とした。生き残ったところで財産を失う人も多く、さらには親を亡くした子どもたちの運命は悲惨なものであった。

万博も似たように思えてしかたがない。

第四章　建設業界から見た日本

建設業は「子や孫に誇れる仕事」

建設業は国の根幹であるが、この根幹が揺らいでいることは、以前から度々指摘されてきた。

過去においては、建設投資額が最も低かった平成二十二年度（約四十二兆円、最高は平成四年の八十四兆円）からは増加に転じて令和三年度は六十三兆円とされているが、建設業者数（令和三年度末・約四十八万業者）はピーク（平成十一年度末）から約二割、建設業就業者数（令和三年平均で約四百八十五万人）はピーク（平成九年平均）から約三割の減少となっている。

今後も減る見込みはあっても増える見通しはない。

このままでは、単なる「職人の数」だけではなく、型枠や鉄筋などの高い技術の継承も心配だ。今まで日本の建設技術は世界で評価されてきたが、これからはどうなるか。

たとえば令和四年三月に開催されたドバイ万博では、日本のパビリオンが展示部門で金賞を受賞し、ドバイ国内の有名な観光スポットは日本が手掛けている。

世界一高いビル「ブルジュ・ハリーファ」は、建設は韓国企業だが、世界最速エレベーターを含めて電源、空調システムまで日立などの日本が施工し、世界最大級のショッピングモール「ドバイモール」の世界最大の水槽アクリルパネルも日本製である。ドバイでなくても、家族に「このビルはお父ちゃんが作った」「この世界一の水槽は日本の会社が作った」と自慢できるのが建設業、製造業のいいところである。

この先はどうなってしまうのか。

この「ブルジュ・ハリーファ」も、いつか解体する時が来るだろう。建設した韓国の企業にそれができるのか。今の日本の解体技術なら可能だと思うが、半世紀後には日本の建設業はなくなっているかもしれない。

私はそれを心配している。

また、そんな先のことだけではなく、「国土の強靭化」の懸念もある。

安倍晋三総理（当時）は、東日本大震災の発災の翌年である平成二十四年十二月の第二次安倍内閣発足時から国土強靭化の推進を発表、首都直下型地震や南海トラフ地震対策など「命を守るため」の防災・減災対策、老朽化対策を進めることとした。

翌年十二月には議員立法による「国土強靱化基本法」が成立、平成二十六年六月には「国土強靱化基本計画」が閣議決定され、これらは現在まで改定を重ねている。

この「国土強靱化基本法」は大規模自然災害対策が中心であるが、この対策を支えるのは、日本の公共事業である。

ところが、日本の公共事業というと、「税金の無駄遣いの代表」という印象しかない。

これは、昭和電工事件（昭和二十三年）やロッキード事件（昭和五十一年）で逮捕された田中角栄らの「政治家の汚職」のイメージから、小泉純一郎政権の公共事業削減方針、平成二十二年九月の民主党政権の「八ッ場ダム工事中止問題」などの「公共事業＝悪」の印象操作、不動産バブル崩壊以降の不景気、などが重なったことが背景にある。

これらのせいで、すっかり公共事業への投資熱は下がり、日本の経済全体を停滞させてしまった。

だが、ちょっと待ってほしい。

働くことは「悪」なのだろうか？

若者が辞める理由とは

別稿でも述べるが、建設業の離職率は高止まりを続けている。特に若年労働者の離職率は他業種よりも高いといわれている。

理由は労働条件の問題なのだろうか。

私の会社はそれなりの給料を払っているが、休日は少なく、仕事はきつい。だが、若手も多く、定着率もまあまあである。

そして前著『5億円横領された社長のぶっちゃけ話』で書いた通り、私の会社は世間を騒がせた「ミッキーハウス事件」でさんざんテレビのワイドショーなどで取り上げられてきた。

しかも横領した経理担当者が逮捕されただけでなく、私まで脱税などで逮捕され、社内では大規模な家宅捜索まで行われている。

これだけ知れば「いい会社だ」とは思えないだろうが、これらの事件を理由に辞めた者はいない。

普通なら経営トップが逮捕されるような会社には誰も残りたいとは思わないのではないか。

でも、ありがたいことにみんながついてきてくれた。

一方で、新人の定着率のいい会社の経営者に聞くと、建設業界の特徴が見えてくる。

経営者たちによると、若手がすぐ辞める理由はカネではないという。

たしかに給料については採用時に説明されるので、よほど最初の話と違わない限り、あまりカネで辞めることはないだろう。

ではなぜ離職率が高いのか。

職人の世界は事務系と違って「個人プレー」が中心であり、会社員であっても「上司と部下」ではなくあくまでも「親方と徒弟」に近く、そうした関係は今の若者には合わないのだという。

このような面は確かにあると思う。

少し古い話だが、かつてホリエモンこと堀江貴文氏が、寿司屋の職人の修行はムダだといって物議をかもしたことがあった。

うまい鮨などインターネットでいくらでも作り方が紹介されているのに、「古い人間たちが『時間をかけないとうまくならない』という洗脳に必死にしがみついて、下の世代に苦労を強いているだけではないか」と断じたのだ。

説得力がないとは言わないが、私は違うと思う。人間には「効率」だけでは学べないことがある。

鮨はもちろん建設業のスキルも動画を見て簡単に学べるものではないのだ。

若者たちは謙虚に学んでほしいし、私たち大人の側も謙虚に伝えるべきだと思う。

「修業」が問題であるとすれば、「やりがい搾取」であろうか。

そんなことを言っても、今どきはそんな親方のところには人は集まらない。

仕事のできる親方の元で仕事を覚え、相応の賃金をもらって、若者を育てられる人材になってほしいと思っている。

そのホリエモンも、「起業したての頃は、現場でプログラミングも担当していたので、本当に忙しかった。自宅には戻らず、会社にシャワーとベッドを入れて、食事にもなるべく出掛けたくなかった。仕事しながらコンビニ飯をかき込み、眠くなっては頬を叩き、24時間働き詰めだった」と振り返っている。

そして、「そんな生活を何年か続けていて、確かに仕事の成果は拡大していった。だが、睡眠時間を削らなければいけなかったあの頃の仕事は、いまならテクノロジーを駆使して、時間や作業量を何分の一にも圧縮できる。もう二度と『寝ずに仕事』なんて、やらない」と、すべてがムダだったと断じる。

そうだろうか。

そうした体験があってこそ、「今」があるのではないのか。

若くて体力がある時には経験とスキルがない。それをがむしゃらに働くことで学んでいくことを「ムダ」とは言わないのではないか。

もっともホリエモンも指摘しているが、上司という名の親方の「人間力」に問題があることも少なくはない。

昭和の建設業系の職人はだいたい無口であり、そのくせ気に入らなければ怒鳴るので、扱いにくいことこの上ない。

何があったのか、朝から機嫌が悪いことも多く、若手はどうしていいかわからない。ある程度慣れていれば「今日は機嫌が悪いなあ」くらいに思えるだろうが、今どきの若者はそうもいかない。

給料も重要だが、仕事についてアドバイスもほしいし、うまくできればほめてほしい。何を甘えたことを……と言うのは簡単だが、こうした積み重ねで若者は去って行く。その結果の離職率の高さである。

そうなれば職場は年寄りばかりとなり、新人にさせていた雑用や重労働も年寄りがしなくてはならない。もちろん一人当たりの生産性も下がっていく。

会社としては、それでは成り立たないのだが、これを昭和の経営者がどれだけまじめに考えて改善できるかというところに来ている。

とはいえ私を含めて昭和の経営者たちはなかなか変われないのであるが、まずは今いる社員たちのいろんな変化に気づいて、ほめたり、アドバイスしたり、手を差し伸べたりするところから始めてはどうだろうか。

何のために働くのか

私は若い頃から働くのは当たり前であり、建設業者であることを誇りに思ってきたが、最近は「働きがい」や「働くことの意味」が重視され、建設業などの力仕事は人気がないようで残念である。

もっとも私もずっと働いて稼ぎたいと思っていたが、最近ではすっかりやる気をなくしている。

政治が悪すぎるからだ。

それに、建設業以外にも「人気がない」「かわいそうな仕事」は他にもある。「ラクでやりがいがあってカッコイイ仕事」などない。

たとえば、令和四年二月には新潟市内の菓子工場の火災で六十歳代後半から七十歳代前半の女性の夜勤パートタイマー四人が亡くなったことが報じられた。

パートタイマーが安全教育を受けずに火事で亡くなったことと併せて「お年寄りを夜中

に働かせるなんてひどい」という声がインターネットなどで上がっていた。犠牲者がパートタイマーで、避難訓練を受けていなかったことも問題になっている。

報道（東京新聞令和四年六月二十七日付電子版）によると、平成二十三年の厚生労働省のアンケートでは、回答した約千三百社のうち約二割に当たる約二百六十社が非正規社員に「火災時の避難マニュアル」を知らせていないと答えている。

こうした調査は少ないようで、実態の把握は難しいが、安全については正規雇用と非正規雇用は関係なく体制を整えなくてはならない。大事に至っていないだけで、パートさんたちが危険な目に遭っている例は少なくないのだろう。

労働安全衛生法や消防法などで、企業の労働者に対する安全配慮義務は厳しく決められているのだが、徹底は難しいのが現状ではある。安全対策を講じる人材まで手が回らないからだ。

日常の業務だけで目いっぱいだし、避難訓練の時間中も時給を払わなくてはならないので、なかなか積極的にはなれないのは経営者の本心である。ひとたび新潟市の工場火災のような事故があれば大惨事にならないとも限らないことはわかっているのだが、これは難しいところである。

一方で、今はパートタイマーなど非正規雇用者が約四割を占め、「人生百年時代」といわれるのだから、七十歳代の女性が夜勤パートで働いても、私はまったく問題だとは思わない。避難訓練など安全対策は必要だが、本人がよければ百歳でも夜勤で働いてもらってもいいと思う。

しかし、世の中はそうはいかないようで、工場火災の時には「おばあさんを夜中にこき使って焼死させた」との批判が多かったという。

しかし、作家の瀬戸内寂聴さんは九十九歳で亡くなる直前まで原稿を書いていたし、令和五年に九十歳になった黒柳徹子さんはまだ毎日のようにテレビに出ている。こういう人たちについて「お年寄りを働かせるな」と批判する人はいないだろう。

それもおかしな話で、作家や芸能人は「高尚な仕事」で、パートのおばちゃんは「かわいそうな仕事」ということになってしまう。本人の能力や体力に合わせて働けばいいだけではないのか。

公共工事は悪なのか

令和元年は十九号台風の前の十五号台風も甚大な被害をもたらしており、「自然災害の激甚化」が指摘されたが、大災害そのものは昔からあった。

たとえば、堤防が決壊して被害者が千人を超えた昭和二十二年のカスリーン台風、高潮が五千人以上の被害者を出した昭和三十四年の伊勢湾台風など大雨や大規模台風の被害は枚挙に暇がない。

「地球温暖化による異常気象」などというが、地球のせいにして何もしないのであれば、また同じことが起こる。

河川工事のもう一つの問題は、「川」が一つの自治体に収まってはいないことだ。川上から川下まで、いくつかの都道府県を流れており、同じ川なのに管理する自治体が違うと管理の内容も変わってしまうのである。

ちゃんと護岸工事ができている川なのに、橋を越えたら突然草ぼうぼうになっているのは、自治体が違うからだ。大雨であふれた水は、堤防のあるところから堤防のないところに一気に流れ込んでしまうので、こうした管理体制も見直さなくてはならない。自治体ごとの予算があるので一元化は難しいのかもしれないが、人命には代えられない。

先進国なのに、堤防やダムなどのインフラがもろいのは恥ずかしい。

「国を守る」とは、国土と民衆を守るということだ。

意外なことに、令和元年の台風十九号では、関東を流れる利根川の支流の八ッ場ダムの「役割」が改めて注目された。

税金のムダ遣いの象徴のようにいわれていたダムである。平成二十一年の衆議院総選挙の際に、当時の民主党が「八ッ場ダムや川辺川ダム（熊本県）などの国の大規模土木工事は時代に合わない」として工事の中止を公約に掲げたことで知られる。

しかし、その後は工事が再開され、翌年の令和二年から稼働予定だった。令和元年当時は試験運用が行われており、雨で増水した川の水が大量にダムに流れ込んだことで、洪水に至らなかったといわれている。

もちろん悪いのは民主党だけではない。八ッ場ダムの工事をめぐっては、自民党内ももめていた。

カスリーン台風の被害を受けて昭和二十七年に建設計画が公表されたのだが、ダム建設で水没する地域の住民の反対や、自民党内の推進派（のちに副総裁となる金丸信など）と反対派（のちに総理となる中曾根康弘など）の対立もあって、完成まで六十八年もかかってしまった。

大規模公共工事は時間がかかるもので、完成時には用がなくなってしまうものもめずらしくないが、それにしても六十八年は長すぎる。そんなことだから、公共工事は「血税のムダ遣い」だと批判されてしまうのだ。

それでも令和元年の台風による洪水を防げたのであれば、たいしたものである。ムダな公共工事もあるが、必要で有用な公共工事のほうが多いということは強調しておきたい。

ちなみに八ッ場ダムとともに批判されていた川辺川ダムは、今も完成には至っていない。事業が開始されたのは昭和四十一年である。

令和五年に行われた熊本・人吉市長選挙では、工事容認派の原職候補が当選したが、根強い反対運動もあり、しばらく進展はなさそうだ。

政府は「現場」を知ってほしい

令和五年四月、日建連（日本建設業連合会）は総会で建設業の「新４Ｋ産業への変革」を掲げ、「新４Ｋの魅力あふれる業界づくりに関係者一丸で取り組んでいく」と抱負を述べたと報じられた。

日建連とは、「全国的に総合建設業を営む企業及びそれらを構成員とする建設業者団体」の連合であり、建設業をめぐる課題の解決に取り組むことを目的に結成された全国組織である。

この「４Ｋ」とは、「給与」「休暇」「希望」「かっこいい」なのだという。

そもそもは国交省と有識者会議「建設現場で働く人々の誇り・魅力・やりがい検討委員会」（委員長・田中里沙事業構想大学院大学学長）による「新３Ｋ」の転換計画とイメージチェンジ戦略であった。

建設業界は、根強く残る「３Ｋ」（きつい・汚い・危険）という負のイメージを「新３Ｋ」（給与がいい・休暇が取れる・希望が持てる）へと転換するために、有識者会議を設置、業界のイメージチェンジのための提言を令和二年二月にまとめている。

この提言をもとに、生産性向上や働き方改革、現場の環境改善など、建設現場で働く人の誇りややりがい、魅力を高める取り組みに力を注ぐとしている。

では、建設業界の若手の採用を増やすために何をしたらいいのか。

「新」などつけずとも、給与と休暇、やりがい（希望）が求められるのはどの業界でも同じだが、建設業界も政府も問題を先送りにしてきた。

政府としては週休二日制を推進し、公共工事の労務単価（公共工事設計労務単価）を八年連続で引き上げたことなどを強調するが、地方の小さな現場では何の役にも立っていない。

建設現場の生産性向上を上げるために進められている「i‐Construction」もコストがかかるので、地方の中小企業ではまだまだむずかしい。

測量にドローンなどを使うＩＣＴ（情報通信技術）施工は、まだ全体の二割に過ぎず、現実的とはいえない。

「自然災害」という名の人災

大地震や豪雨は防ぎようのない自然災害だが、ひとたび起これば「人災」となる。

これは、警察庁長官や内閣官房長官を歴任した後藤田正晴の言葉だという。

後藤田は、阪神・淡路大震災の時に首相だった村山富市に対してこうアドバイスしたというから、平成七年のことだ。

もう三十年近く前の話なのに、まったく問題が解決されていない。それどころか、むしろ洪水や震災の被害はひどくなっている。

一体どういうことなのか。

たとえば令和五年は五月の連休明けの五月八日に私の地元に近い兵庫・伊丹市の天神川が氾濫したが、これは百パーセント人災だと私は考えている。

また、五月二十日には日本のはるか南、ミクロネシアのカロリン諸島で台風二号が発生し、猛烈な勢力に発達しながら日本に接近して、各地で大雨や堤防決壊の被害をもたらした。

その後はすぐに台風三号が発生、大雨の懸念は収まらなかった。

これらを「想定外」だとか「地球温暖化のせい」などと言っても始まらない。台風は自然災害でも、堤防決壊は人災なのだ。

そもそも台風のシーズンといえば、かつては「二百十日」の前後であった。

これは立春の日から数えて二百十日目で、九月一日ごろである。実際には科学的な根拠はないようだが、私が子どもの頃も台風はお盆を過ぎて九月頃までの被害が大きかったと記憶している。

ところが、最近は台風一号発生の時期が早まる一方で、十一月や十二月にもやってくることが増えた。これを「自然災害だから」と放置したところで困るのは国民である。

特に、天神川の堤防決壊からの床上浸水は「ツッコミどころ」が満載であった。

報道によると、伊丹市は八日の午前二時頃に天神川近隣の八百二十八世帯・約二千人に避難指示を出したが、天神川の堤防の決壊から一時間も経っていた。しかも市長ら幹部が市役所に参集したのは堤防決壊から約二時間後である。読売新聞は「対応の遅れが目立った」とはっきり書いている。

避難指示は八日午前五時に解除され、床上、床下合わせて百件を超す浸水被害が出たが、幸い死傷者はなかった。

前日の七日から大雨が続き、工事関係者らが監視していたというが、それでは遅いのだ。八日午前一時近くなったところで川が急に増水して、左岸堤防が約三十メートル決壊、周辺の住宅地に土砂や水があふれだした。十二軒での床上・床下浸水が報告されている。

当時は天神川の下を走る荒牧トンネルの拡幅工事中で、急な大雨に対応できなかったという。

工事は前年の三月から行われており、一年近く続いていたことになる。工事のために川幅を狭めていたので、水があふれやすかったのだろう。土嚢を積んでいたが、大雨に耐え切れなかったようだ。

報道には「ずっと住んでいるが、こんなことは初めて」と戸惑う住民の声がたくさん紹介されており、たしかにそういう点では油断したのだろう。東京などで水害が比較的少ないのは、元荒川など大きな川の管理をしているからだ。

しかし、もはや「今までは何ともなかったのに」というのは通用しない。

全国的にはあまり知られていないが、関西には川床（川底の土）が周囲より高い「天井川」が多い。報道では、「天神川は天井川である（だから大雨に弱い）」という文面が目立ったが、そもそも天井川こそが人災なのだ。

どこの川でも上流には山があり、常に土砂が少しずつ川に流れ込んでいる。天神川は流れ込む土砂が多かったという。この流れを堤防で固定してしまうと、川底に土砂がたまってしまう。

当たり前だが土砂がたまると、川床が高くなり、そこに木も生える。そこに大雨で水が入り込んだらあふれだすに決まっている。

これを防ぐには、定期的に川底の土砂をさらい、木を伐採しなければならないのだが、そんなことに積極的に税金を使う自治体はない。放置しているのだから、あちこちで洪水被害が増えるのは当然である。

つまり、きっかけこそ大雨ではあるが、洪水は河川の手入れを怠った結果であり、明らかな人災なのだ。

このことについて、私は以前から兵庫県知事をはじめ政治家や行政の関係者に、河川と堤防の定期的なメンテナンスの重要性を何度も説明してきた。しかし、答えはいつも同じである。

「いやあ、予算がなかなかとれなくて……」

オリンピックや万博の予算はどんどん取るのに、河川工事の予算は取れないというのだ。私はオリンピックや万博の開催に全面的に反対するわけではないが、これらと同じように河川工事の予算を充実させてほしいと考える。

河川工事は人命にかかわる話である。令和五年の天神川の氾濫は死傷者こそ出さなかったが、これからはわからない。県や市は対策会議を開催し、増水の様子をチェックするライブカメラを設置するというが、そんなことより河川工事を進めればいいのだ。

たとえば「令和元年台風十九号」の被害は全国に及び、関連死を含めて百二十一人の死者を出している。

もうずっと前から河川工事の必要性が指摘されていたにもかかわらず、「予算がない」と放置されてきた。その結果としての人災である。

そして、今はこれらの災害の復旧工事に兆単位のカネが投入されている。もっと早く定期的なメンテナンスを続けていれば、これほどの費用はかからなかった。

また、死傷者は出なくても、家を泥水でめちゃくちゃにされては生活できない。川崎市では住民が損害賠償請求訴訟も起こしている。

工事現場の大事故はこれからも起こる

甚大な自然災害や労働災害など私が恐れていたことは、次々と現実になっている。

令和五年九月十九日、JR東京駅八重洲口近くのビルの建設工事現場で、クレーンでつり上げられていた鉄骨が落下し、作業員二人が死亡、三人が大けがをしたのだ。

現場では、鉄骨をクレーンでつり上げて組む作業中で、クレーンとつながるワイヤーを外したところ突然落下したという。ワイヤーを外す前に別の鉄骨と固定しておくのだが、それが不十分だったようだ。鉄骨は重さ約十五トン、死傷した五人は鉄骨とハーネス（安全帯）でつながっており、亡くなった二人は鉄骨の下敷きになってしまった。

いくらＩＴ化が進んでも、工事現場は危険と隣り合わせである。鳶など熟練の職人の存在は不可欠である。

繰り返しになるが、これは建築業界だけではなく、日本全体の劣化の問題である。

少子化で若者が減り、ベテランはどんどん退職する。

資材高騰や労働時間短縮による損失のツケをより弱い企業や労働者に回すので、現場は教育の余裕がなくなり、学門や技術の継承、安全管理に関する研修などもできなくなる。

これは、国家が目先のことしか考えられなくなっている証拠である。教育や研修は時間とカネがかかるものだが、これは省いてはならないのだ。今回の事故も明らかに人災である。

もちろん私が若い頃にも事故はあったし、むしろ今のほうが法規制は厳しいのだが、法律を作る役人は現場を見ていないのだ。

エリートの役人が空調の効いた部屋でパソコンで作った法律のために、私たちは大量の書類を提出させられているが、これでは事故は防げない。

それに、今回は作業員だったが、一般人が被害に遭うこともちろんある。

平成二十八年十月には、東京・六本木交差点近くのビル解体工事現場で作業員が誤って落とした約二メートル・直径約三センチの鉄パイプが落下、通りがかった男性の頭を貫通、男性は救急搬送されたが亡くなっている。

また、二十年以上前だが、平成十一年の東海村の原発事故も同じで、被爆したのは作業の危険性を知らされていない子会社の従業員だった。大量の放射線を浴びて、「最後は本当に筆舌に尽くしがたい様子」で、遺体は「人の形」をしていなかったといわれる。

こうした事故は書類では防げない。きちんとした現場教育やゆとりある工期、「中抜き」の見直しなどが必要である。

そもそも少子高齢化も突然に始まったわけではない。

二十一世紀に入った頃には既に少子高齢化が問題になっていた。職人の平均年齢も五十歳くらいだったと思う。政府はわかっていながら問題を先送りしてきた。

これからもどんどんベテランが高齢化して引退し、若者は集まらず、やっと集めた若手や外国人を教育できる者がいない状態が続く。こうして事故は増える一方となる。

建設に限らず、物流も医療も現場の働き手を大切にしなければ、社会が成り立たない。

政府はわかっているはずなのに、なぜ現場をないがしろにするのか。

日本に外国人技能実習生は来なくなる

外国人技能実習制度の課題も山積している。

もはや外国人技能実習生がいなければ、建設業だけではなく日本の産業が成り立たなくなっている。

「海外への技能移転」や「国際貢献」を目的に外国人技能実習制度が始まったのは平成五年であった。

当初は中国が多く、のちにインドネシアやベトナムが増えており、既に国内の外国人労働者の五人に一人が技能実習生といわれるが、制度発足から三十年を経て見直し作業が行われてきた。

政府は制度の具体的な見直しの議論を進め、技能実習から「育成就労制度」としてより人材の確保と育成の目的を強める意向である。

一定の知識や経験が必要な在留資格「特定技能一号」の水準に育成する期間として、在留期間が原則三年とされる。

また、ほとんどの実習生が日本に来るために多額の借金をしていることから、財政的な支援とともに暴力や暴言の問題も多い受け入れ企業を監督する「監理団体」についての監視も強化される。

もともと中途半端な制度である。

なぜきちんと「労働者」として働かせられないのか。

彼らは日本で稼ぐためにやってきているのに、厳しく規制する意味がわからない。残業したらその分の賃金を払えばいいだけではないのか。

また、言葉や生活習慣の壁もある。給料がきちんともらえず、交渉したくても言いたいことがうまく言えなくてケンカになることもあったと聞いている。

電灯はつけっぱなし、シャワーは出しっぱなしもめずらしくなく、トイレに行っても手を洗わないなど、先に教えなくてはならないことも多い。

しかも、せっかくいろいろ教えて、だいたいわかってきたところで、「転籍」の問題もある。

従来の技能実習制度では「転籍」は認められていなかったが、一定の要件を満たせば可能となることになった。別の受け入れ企業に移ることである。

要件については議論があるが、転籍を認めないことが「奴隷労働」との批判の原因になっていた。とはいえ安易に転籍を認めてしまうと、事業者としては「せっかく育てたのに勝手にやめてしまった」という事態になる。

私は技能実習生はしっかり育ててきたつもりだったが、今後はどうなるか。夜逃げをして行方不明になっている実習生も多いと聞くので、新しい制度がどれだけ改善策につながるのか、注目している。

また、実習生がキャリアを積んで、日本で長く暮らせるようになると、ヨーロッパのような「移民問題」に発展しないとは限らない。「共生」というと格好いいが、みんなが安心して働き、暮らしていけるような世の中にするためには何が必要か、考える時期に来ている。

少なくとも山のような申請書類を書くだけでは、問題は解決しない。

今こそ田中角栄に学べ

私は公共工事が悪いとは言わないが、「いい公共工事」と「悪い公共工事」があるとは思う。

たとえば昭和を代表する政治家である田中角栄の業績はすばらしいが、「金権政治」の代名詞であり、「公共事業＝地元への利益誘導＝悪」のイメージを作り上げたといわれている。

私は、これに大いに異論がある。

角栄は、高等小学校（当時）から中央工学校という建築などの専門学校で苦学して卒業して政界に進出した。

東京大学卒業が当たり前のような永田町や霞が関で活躍し、「コンピューター付きブルドーザー」と呼ばれ、五十四歳の若さで首相にまでなっている。こんな政治家はもう二度と出てこないだろう。

角栄に限らず、政界から芸能界まで、「大物」がいなくなったと思うのは、私だけではないはずだ。国民の誰もが評価して注目するような真のプロフェッショナルがいなくなってしまった。

角栄が衆議院選挙に初当選した昭和二十二年は、戦後の混乱が続いていた。国民の生活は苦しく、犯罪も多かったが、復興への希望に燃えていた時代でもあった。

出身地の新潟は豪雪地帯として知られ、角栄の政治家としての原点は「豪雪対策」であった。今も県内の主要道路にある消雪パイプは角栄の遺産である。

また、当時の日本の就業者の半分は農業関連で、冬の農閑期には男たちが都市部の工事現場に出稼ぎに行くことも多かったが、これが家族の分断を生むこともしばしばであった。

一家を支える父親や長男たちが労働災害で死傷しても補償どころか連絡もなく、あるいは酒や女でヘタを打って家に帰ってこなくなるのもめずらしくなかったのである。

こうした実態を見てきた角栄は、当選を重ねながら地方も都市部も豊かになる方策を考え続けた。

そこで出てきたのが、「日本列島改造論」である。

寒冷地に工業系の企業を誘致することや、温暖な地域での農業の振興などを提案し、地方も都会も豊かにすることを目指した。同名の書籍は昭和四十七年六月に発売され、角栄が首相に就任したこともあって、売り上げは政治家の本としては異例の九十万部を超えるベストセラーとなった。

角栄の地元である新潟・刈羽村と柏崎市には東京電力の原子力発電所がつくられているが、角栄の経営する会社が保有していた土地を東電に売却していたことなどが後々批判されることになる。

たしかにそうした面もあるが、豪雪地帯で冬の間は何もできない地域への工場誘致はありがたいことだった。発電所で働けば東京などへ出稼ぎに行かなくて済むのである。

それに、当時は中東戦争によるオイルショックなどもあり、エネルギーの確保は最重要課題であった。当時は、原子力は「夢のエネルギー」だったのだ。

このほか豪雪の被害に災害救助法を初めて適用させるなど、「雪国の不便」を次々と解消していった。

このように、地元のために働くことが国会議員の務めではないのか。

「地方へのばらまき」も悪いところばかりが強調され、角栄が発端のようにいわれるが、税金を地方に使うことがそんなに悪いことなのか。

地方と都市部の経済やインフラの格差は、今よりももっと深刻だった。

特に昭和三十九年の東京オリンピック開催が決まると、新幹線や首都高速道路に整備が急ピッチで進められたが、こうした公共事業は東京だけで、地方都市のインフラはまったく整備されていなかったのである。

角栄はこの格差の解消を目指し、地元の新潟だけでなく全国的に利益の再分配を行い、インフラを整備している。

角栄が大蔵大臣（当時）に就任した昭和三十七年頃は、新潟県に公共事業が集中していたことを批判する者もいるが、東海道に続いて上越新幹線が整備され、関越自動車道が作られていた時代である。

これらの公共事業もダメだというのでは、地方は陸の孤島のままである。

それに、角栄は法律をものすごく勉強しており、首相になる前に議員立法で三十三の法律を成立させている。

これが本当の民主主義である。自分勝手に決めるのではなく、国会で審議を重ねて法律を制定し、法律や地方のニーズを見ながら必要なところにカネを使っていたのだ。これは「意味のないムダなばらまき」ではなかった。

こうした有益な公共工事に比べて、アホな工事が多すぎるので、国民感情としては「公共工事は税金のムダ遣い」というイメージが強くなるのだ。

「族議員」で何が悪い？

もう一つ、角栄が象徴する「族議員」も、私はアリだと思う。

最近はあまり聞かないが、たとえば角栄は「道路族」「建設族」といわれ、建設の政策に詳しく、関係省庁に影響力を持っていた。他に農林族、水産族、郵政族、国防族、文教族などがある。

得意分野があるのはいいことであるが、それをネタに儲けていると妬む者がいる。たとえば鈴木宗男議員は、ロシアやアフリカなど各国にパイプがあるが、インターネットなどでは「ムネオはロシアからいくらもらっているのか」といった批判も目につく。

特に令和四年二月に始まったロシアのウクライナ侵攻については、欧米を中心にウクライナ擁護が主流であるが、宗男議員は双方を冷静に分析している。

これが「ロシア擁護だ」とバッシングされているのだが、何が問題なのだろうか。

戦争とは、両国間の問題であり、ウクライナにせっせと武器を提供するG7諸国の問題でもある。「ロシアを庇うのはカネをもらっているからだ」というのは短絡的すぎるのではないか。

族議員も同じで、関連する役所や企業との「癒着」が叩かれるが、人脈や専門的な知識がある「政策通」として政策を進めるのはむしろ国民にとっても有益である。

何も知らない議員は役所や企業にとっては単なる「お客さん」でしかない。よほどの大物でなければ次の選挙だってどうなるかはわからない。

そんな議員が現場に来たところで、何も進まない。

たしかに角栄は家族の蓄財ぶりを見れば「やりすぎた」面もあると思うが、日中国交正常化は角栄でなければこんなに早くはできなかったであろうし、本来の陳情を政策に生かせる「政策通の政治家」は民主主義的といえる。

小泉純一郎政権もアベノミクスも「角栄的なもの」の排除と極端な規制緩和がウリだったが、その結果、どうなったか。死屍累々である。

規制が守ってきた既得権益がなくなれば、新規参入が増え、競争によってサービスの質がよくなり、消費者も選べるから、経済が活性化されるというメリットはたしかにある。

しかし、たとえば観光バスの規制緩和で料金は安くなったが、大規模な事故が目立つようになった。競争が激化したら価格を下げるしかなく、それは現場の人間の労働時間の延長や賃金の低下に直結する。

運転手だけでなく、建設や医療、育児、介護など最終的には人の力に頼らなくてはならないものは、アホみたいな規制緩和はしてはいけないのだ。いくら科学技術が進んでも、人がすべてである。

そこを無視してきたから、国民の大半の給料は上がらず、子どもは減り、どこも人手不足のままなのだ。

もっとも少子高齢化は長い間、先進国の課題であった。むしろ所得の低い発展途上国の出生率は常に上向いている。最近ではフランスや北欧諸国などが少子化対策に力を入れ、成果を上げているが、これはやはり現金の支給が効果的なようだ。

だが、いったん減った人口を簡単に戻せるわけがない。関係省庁の役人は少子化対策に成功している国の視察には何度も行っているはずだが、現地ではワインを呑んでいるだけではないのか。

未婚の母の生活支援などを含めてもっとしっかり対策を練るべきだ。

「若い夫婦にカネを出せば子どもが増える」「賃金を上げれば人手は戻ってくる」という甘い考えでは子どもは増えないし、建設現場に人は戻ってこない。人件費を高騰させるだけで、公共工事の入札不調が今も続いている。

「4K」のうち「かっこいい産業であるかどうか」、「希望を持てる産業かどうか」は、私が決めることでもないが、社員たちの給与と休暇については常に考えてきた。

このほか、建設業を取り巻く課題としては、資材高騰やゲリラ豪雨などの気象災害、地球環境に配慮した二酸化炭素排出量削減などの対策が深刻となっている。

また、「請け負け」も気になるところである。

受注が減っているので、発注者からの要望をすべて受け入れざるを得ず、適正な価格と工期による契約になりにくいのである。

いくらでもある「工事の税金ムダ遣い」

公共工事や大規模工事のムダ遣いの例もいくらでもあるが、最近では私の地元である兵庫県の「スマスイ」こと神戸市立須磨海浜水族園の閉園と新施設の建設はもったいないと思った。

開業六十六年、補強工事などの手入れをすればまだまだ使えるはずだが、ホテルなどを併設して集客の拡大を狙ったという。

老朽化対策の検討の際に完全民営化されたので、多額の税金は投入されていないが、政府や自治体からの補助金は少なからず使われているはずで、壊さなくていいものを壊すのだから、もったいないことには変わりはない。

また、作曲家の坂本龍一氏や作家の村上春樹氏までが反対して話題になった明治神宮外苑地区の高木の伐採の問題もある。

これも事業主体は三井不動産、宗教法人としての明治神宮、日本スポーツ振興センター、伊藤忠商事なのだが、大規模工事はやはり「ムダ」の印象がぬぐえない。

もちろん認可した東京都の責任は問われており、小池百合子都知事に対する風当たりは強い。

現在の国立競技場の場所では、かつて学徒出陣が行われている。

昭和十八年十月二十一日、二万人を超える大学生らが雨の中を行進して戦地へ向かった。競技場には「出陣学徒壮行の地」の碑もある。

戦争が長引き、兵力が不足したことで大学生も兵役に就くことになったのだ。当時は二十歳以上の男子は兵役の義務があったが、大学生は卒業まで原則免除されていたのである。

明治神宮外苑競技場で文部省主催による「出陣学徒壮行会」が行われた日は、秋雨が降っていた。東京帝国大学を先頭に、七十七校の学生約二万五千人がそれぞれの校旗とともに、小銃を担いで行進している映像が残されている。

行進を見送ったのは、五万人を超える大観衆で、女子学生の姿も目立ったといい、学徒たちは女学生の涙を見て「守ってあげたい」と思ったのだろう。

出陣した学徒は十万人ともいわれるが、空襲で記録もなく、正確な人数は把握できない。競技場では今も毎年慰霊祭が行われているという。

第五章 なぜ税金のムダ遣いはなくならないのか

税制の見直しを進めるには

日本が弱くなっている原因は、税金のムダ遣いにもあると思う。使われるべきところに使われず、自民党が政権を維持するためだけに使われているのだから、国民が貧しくなるのも当然である。

そもそも「税金」とは何であろうか。

日本国憲法第三十条は「国民は、法律の定めるところにより、納税の義務を負ふ」と定め、財務省は公式ホームページで「税金とは、年金・医療などの社会保障・福祉や、水道、道路などの社会資本整備、教育、警察、防衛といった公的サービスを運営するための費用を賄うものです。みんなが互いに支え合い、共によりよい社会を作っていくため、この費用を広く公平に分かち合うことが必要です」としている。

今さらだが、納税は国民の義務であり、納められた税金は日本のために有益に使うのが大前提であるが、そうなっていないことも多いのが現実である。

一方で、不況やコロナ禍にもかかわらず、日本の税収は増収を続けている。明らかに国民の暮らしは貧しくなっているのに、これはどういうことなのか。

令和五年七月、四年度の国の税収が七十一兆円となり、三年連続で過去最高を更新していることが発表された。

報道によると、令和四年度の一般会計税収は、所得税・法人税・消費税すべてが増収で、令和五年四月末時点で約六十一兆円、前年同月比で八パーセント余り上回る過去最高となった。

数字だけ見れば、国は「けっこう儲かっている」のだが、防衛費増額のために法人税やたばこ税などを引き上げ、少子化対策で社会保険料の増額や子どもの扶養控除の縮小も検討されている。

また、自動車税の負担も重い。

五月九日には、あのＪＡＦ（日本自動車連盟）が公式ツイッター（現・Ｘ）で抗議する事態となっている。

「5／31が納付期限の自動車税　この自動車税を含めガソリン税・消費税などで乗用車

には毎年約11・57万円の税金が課せられています　生活必需品なのに、こんなにかかるなんて　こんなの過重で負担すぎます　補助金ではなく、抜本的な見直しを」

自動車を持っているだけでかかる税金が十二万円、さらにガソリン代や駐車場代もかかる。

これでは大都市圏ではクルマはますます売れなくなるし、クルマがなければ生活が成り立たない地方でも家庭の所有台数は減るだろう。家族がそれぞれ一台持つような時代はもう終わりだ。

経団連（日本経済団体連合会）の歴代の幹部には、自動車や鉄鋼メーカー大手の関係者が名を連ねているし、日本の根幹はモノづくりである。中でもクルマは国際的にも不動の人気だ。それを重税で売れなくしてしまうのは、自分で自分の首を締めるようなものである。

インボイス制度の見直しや廃止も急務

岸田政権の税をめぐる問題も山積しているが、私が特に問題視しているのは、「二〇二四年問題」と「インボイス（適格請求書）方式」である。

「2024年問題」については別稿で書いたが、私はインボイス方式についても、「総論賛成・各論反対」である。

「インボイス」とは、本来は貿易の送り状や納品書、請求書などを指し、商品の品目ごとに税率を記載して、税金がきちんと納められるようにするものである。

消費税に複数の税率を導入している国ではこのインボイス方式が一般的で、適用税率や税額の記載が義務付けられている。

日本でも、令和元年十月から消費税（十パーセント）と軽減税率（八パーセント）の複数税率となったことから、インボイス方式の導入が検討されることになったのだが、単に手続きが煩わしくなっただけである。

インボイス方式の下では、売り手側が買い手側に発行する領収証には、売り手業者の「インボイス登録番号」や事業者の氏名、名称、税率ごとに区分した税額などが記載されていなくてはならない。この領収証によって、「売り上げ時に納めた消費税」から「経費や仕入れの際に支払った消費税」を差し引いて、事業者が納める納税額が計算される。

たとえば商品（消費税率十パーセント）を仕入れて、売り上げが三百万円の場合なら消費税は三十万円になるが、仕入れの際に十万円の消費税を納めていれば、その分は控除されて納税は二十パーセントとなる。

この「支払いの流れ」を把握するためにインボイスが必要というわけだが、そのために今までの何倍もの手間が必要になってしまう。仕事に使うノートをコンビニで百十円で買っても、インボイスでなければ控除の対象にはされない。インボイスの発行のための事務的な手間がかかり過ぎるのだ。これらを税理士に頼めない零細の事業者にはものすごい負担となってしまう。

なぜ今わざわざこんな制度を強行するのか、大幅な見直しや廃止を求めたい。

なぜ日本政府は国内外でカネをばらまくのか

具体的な説明がほしいことは、まだある。

成人してから一貫して自民党を支持してきた私でも、岸田文雄総理の行動はまったく理解できない。

特に海外へのばらまきはひどいと思う。

外務大臣も務めた総理は、なぜか外遊のたびに多額の財政支援を約束して帰ってくるが、どういうつもりなのか。

たとえば令和五年十二月には、エジプトに約二・三億ドル（約三百三十八億円）の支援を発表している。イスラエルとイスラム組織ハマスの武力衝突で観光業に大きな影響が出ているからだというが、国内がガタガタなのに、本当に今必要なのだろうか。

他にもフィリピンに年間二千億円超、ガーナに約七百三十五億円、インドには、「グローバルサウス」へのインフラ整備のため令和十二年までに官民で約十一兆円を投じるという。

国民の年収が三十年も変わらないのに、税収だけは最高を更新している日本が海外に財政支援というのは、国際的に見てもおかしい。

インターネット上でも「日本の税金は日本国民のために使ってほしい」と批判が相次ぎ、仇名も「増税メガネ」から「ばらまきメガネ」になったという。これでは支持率はさらに下がるだろう。

岸田政権の不支持率は、令和五年十一月には七十四パーセントに達したことが報じられている。

これは、昭和二十二年の調査開始以来最悪だった森喜朗内閣の七十五パーセント（平成十三年二月）に続く不名誉な記録で、芦田均内閣（昭和二十三年六月）と麻生太郎内閣（平成二十一年二月）の七十三パーセントを上回る「歴代ワースト二位」だという。

芦田均総理（当時）は、リベラルな政策で知られるが、戦後すぐの就任でＧＨＱに従わざるを得なかったために、国民の評判はよくなかった。

また、森元総理は、たびたびの失言で「お騒がせ」だが、政界引退後もなぜか政治資金パーティーを開き続けている。令和三年に行われた東京オリンピックをめぐる汚職事件でも「疑惑」はたびたび報じられているが、逮捕される気配はない。

安倍晋三元総理も第二次安倍政権の時だけで六十兆円を海外にばらまいていたことが報道されている。日刊ゲンダイなどによると、平成三十年から三十一年にかけてイラクの復興支援に三百五十億円の円借款、インドの高速鉄道計画に三千億円強、パナマ首都圏のモノレール建設事業に約二千八百十億円の円借款、バングラデシュの鉄道や商業港建設に千三百億円規模の円借款などを決めている。

岸田政権は安倍政権のしょうもないところばかりを踏襲しているが、一体何の意味があるのか。成果を上げているなら、きちんと報道してほしい。

岸田内閣の支持率の低下が意味するもの

令和五年に入ると、岸田文雄内閣の支持率は毎日のように下がり続け、世論調査のたびに低支持率の更新が報道されてきた。

過去には、麻生太郎内閣（平成二十年九月二十四日―二十一年九月十六日）の十五パーセント、森喜朗内閣（平成十二年四月五日―七月四日）の九パーセントなどの例もあるが、岸田内閣ももはや「危険水域」である。

たとえば令和五年十一月の「所得税減税と低所得者への給付」の実施について、「適切な説明をしていると思う」との回答が十一パーセント、「思わない」が八十一パーセントであった。

また、政府が「令和六年夏の段階で所得の伸びが物価上昇を上回る状態を目指す」としたことについて、「実現すると思う」は十一パーセント、「思わない」は八十二パーセントだった。

むしろまだ「実現すると思う」人が一割もいることに私は驚いている。

また、令和五年九月の内閣改造で、副大臣や政務官の辞任が相次ぎ、「ドミノ辞任」とまでいわれたが、これが政権運営に影響するかどうかについては、「影響すると思う」が六割を超えている。

それもしかたない。相次いだ辞任の理由が神田憲次財務副大臣の税金の滞納、山田太郎文部科学兼復興政務官の不倫と買春疑惑、選挙の候補者に公職選挙法で禁止されている有料のインターネット広告の利用を勧めた柿沢未途法務副大臣の公職選挙法違反疑惑と、岸田総理が「適材適所」と強調してきた結果がこれなのだ。情けないにもほどがある。

特に「税徴収を担う財務省の副大臣が税を滞納するなど前代未聞」という声は、与党内からも出ているという。

東京新聞（令和五年十一月十三日付電子版）などによると、財務副大臣を辞任した神田憲次衆院議員（衆院愛知五区）が代表取締役を務める会社は固定資産税と都市計画税を九回、計三百四十四万三千八百円を滞納していた。

名古屋市の市税事務所から会社保有の土地や建物を差し押さえられたのは四回で、差し押さえから納付まで最長で四か月以上かかっていた。

神田議員は税理士だというが、そこまで納税しないのはなぜなのかということより、岸田内閣がなぜそんな「人材」を財務副大臣に任命したのかがわからない。

かつては入閣に際しては「身体検査」といってカネや異性、家族の問題などをかなり調べるものであったが、今はそうしたことはできないのか。こんなつまらない不祥事で人選を改めるとなれば、さらに税金と時間がかかってしまう。

その一方で国民には重い税負担を強いるのだから、支持率が下がるのは当然である。

また、岸田総理に「どのくらい総理を続けてほしいか」という質問には、「ただちに交代してほしい」三十パーセント、「自民党総裁の任期満了（令和六年九月）」までが五十六パーセントと九割近くになっている。

公務員の賃金はもっと下げられる

令和五年十一月、国会議員など特別職の国家公務員の給与を引き上げる改正給与法が成立、二十四日の閣僚懇談会で、岸田総理大臣や閣僚の給与の増額分を全額、国庫に返納することを申し合わせたことが報じられた。

国民は三十年も賃金が上がっていないのに、総理大臣で年間四十六万円、閣僚で三十二万円も上がるという。庶民の月収よりずっと高い。

これについて松野博一官房長官（当時）は、記者会見で、「総理大臣や閣僚などの給与が上がることに国民から批判をいただいている。万が一にも国民の不信を招くことがあってはならないため、返納を申し合わせた。国会議員の総理大臣補佐官も申し合わせの趣旨を踏まえて対応する」と述べたが（NHK十一月二十四日付け電子版）、インターネットなどでは批判が殺到している。当然である。

公務員の給与額は民間企業を参考にして計算されるので、令和五年に入ってからは大企業を中心に少しずつ給与が上がっていることを受けて公務員の値上げも決めたようだが、このタイミングで給与を引き上げる意味がわからない。

この法案の対象者には、国会議員ではない会計検査院長や人事院総裁なども含まれ、人材を確保するために値上げ法案を成立させたというが、何をしても国民は怒らないと思っているのだろうか。

もちろん野党もだらしないと思う。もっときちんと反論すべきである。

東京新聞（十一月二十四日付け電子版）によると、「身を切る改革」を掲げる日本維新の会の幹部は「うち（維新）なら絶対にやらない」と強調し、共産党幹部も「一般職の給与は上げないといけないが、首相ら特別職を上げるのはいかがなものか」と疑問を呈したというが、マスコミも含めて大論陣を張ってほしかった。

私の周囲だけかもしれないが、公務員は怠けている印象しかない。私の印象が違うというなら、反論してほしい。

岸田総理は不支持の理由を考えるべき

「悪いことはしていないのだけどな。何で支持率が上がらないのかな……」

岸田総理は、自民党の支持団体幹部との会合でこう漏らしたという（朝日新聞令和五年十一月二十日付電子版）

これにも本当に呆れた。

不支持の理由に気づけないのであれば、支持されないのは当たり前である。この時の支持率は、朝日新聞が二十五パーセント、毎日新聞で二十一パーセント、読売新聞すら二十四パーセントと、いずれも厳しい数字であり、その後も「裏金問題」を受けて下がり続けている。

さらに、自民党が政権に復帰した平成二十四年以降で最低だった菅義偉内閣の二十八パーセントを下回ったとの分析もある。

官邸では、岸田総理の「減税」発言がかえって批判を招いていることも指摘されているという。

岸田総理が発表した所得減税と現金給付について、「評価しない」は六十八パーセントで、「評価する」（二十八パーセント）を大きく上回っている。

「減税などは国民の生活を考えたのか、それとも政権の人気取りと思うか」を問うと、「人気取り」とする回答が七十六パーセントに達した。

「税を一年限定で国民に還元するという首相の発想がおかしい。『馬鹿にしているのか』と、国民に見透かされた」と分析する自民の閣僚経験者のコメントまで掲載されている。

その場しのぎの減税など政府の方針には問題しかないと思うが、税金についてはインボイス制度の廃止を強く求めたい。なぜ円安や世界的な物価高騰の時期にわざわざこんな制度を強行するのか。

むしろ税制全体を見直すべきだと思う。

私たちは死ぬまでにどれだけの税金を納めているのか。払わされる時はチェックが厳しく、官僚らに使われる時はチェックが甘い気がしてならない。

幻冬舎のネットニュース（令和四年四月二十日付）では、厚生労働省『令和3年賃金構造基本統計調査』を参考にして「サラリーマンの払う税金」を試算している。

それによると、大卒の男性会社員の場合、六十歳の定年退職後に六十五歳まで再雇用されたとして、生涯年収は単純計算で約三億円、そのうち一割に当たる約三千万円が所得税と住民税として天引きされている。また、退職時には退職金が支払われるので、在職三十八年で二千万円の退職金だとすると約十二万円の所得税と住民税が天引きされる。

このほか消費税や固定資産税、相続税なども支払い義務があり、さらに厚生年金や労働保険（労働災害と雇用保険）、健康保険の保険料の納付義務があり、四十歳になれば介護保険も天引きされる。

家族構成や住んでいる地域によっても違いはあるが、いずれにしろかなりの税金と保険料を支払わなくてはならない。そして、いくら払っても相続税は納めることになる。

財務省の公式サイトでは、相続税について、次のように説明している。

「相続税は、亡くなられた親などから、お金や土地などの財産を受け継いだ（相続した）場合に、その受け取った財産にかかります。

相続した財産の一部を国に納めていただき、広く社会のために使うことになるので、相続税には、資産を再分配する機能があります。また、相続した財産が大きいほど相続税額は大きくなるので、生まれた家庭の経済状況による差を縮小させ、格差の固定化を防止する機能もあります。

相続税は、財産を相続した場合に必ずかかるわけではありません。具体的には、相続した財産の額から、借金や葬式費用を差し引くなどした後の額が、一定の額（基礎控除額）を上回るときに、相続税がかかります」

相続税を払えば「格差の固定化」は防げるとは思えない。税制はもっとシンプルに安くすべきだと思う。使い道をチェックする第三者的な機関の役割の強化も必要である。

ふるさと納税をドブに捨てるな

税金のムダ遣いは、枚挙にいとまがないが、ふるさと納税の使い道もしばしば問題になる。

たとえば東京電力福島第一原発事故の被害で全村避難となっていた福島・飯舘村は、平成二十九年三月に大半の避難指示が解除されことで八月に「復興のシンボル」となる道の駅がオープンしたが、設置された銅像は三千万円くらいするという。ふるさと納税で集められたカネで作られている。

飯舘村の件はインターネットでも話題になったので、知られることとなったが、こんな例はいくらでもあるだろう。銅像に三千万円もかかることを寄付した人や村の人は知っていたのだろうか。

会計検査院が毎年公表している「国費のムダ遣い」調査によると、令和四年度は五百八十億円にも上っている。特に資源エネルギー庁が同じ調査を二回もしていた件は気になった。

報道によると、既存調査で十分なのに別個に約六十二億円もかけた資源エネルギー庁のガソリン価格の市場調査について、会計検査院が「効果が確認できない」と指摘している。しかも調査結果は非公表で、価格抑制効果の分析もされていない。

民間では考えられないことである。新しい事業を始めるには社内の調整に手間がかかるし、似たような事業があればそもそも不可能である。実施できたところで、その成果を公表しない、分析もしないなどということは絶対にない。

また、コロナ禍関連対策の事業では自治体などの制度の理解が不十分だったり、見通しが甘く、交付金などが効率的に使われていないケースも多いという。

これも民間ではありえない話だ。私たち民間が制度を理解できていなかったり、「見通しが甘かった」としたら、絶対に役所で叱られる。

めちゃくちゃな震災の復興予算の使い道

また、あまり大きく取り上げられていない問題に、東日本大震災の復興予算の流用がある。復興予算の大部分が被災地とはまったく関係のないところに流用されていたのだ。

復興予算は、「復興特別所得税」として、平成二十五年から令和十九年までの各年度分の基準所得税額のうち二・一パーセントを所得税と併せて毎年私たちが納めさせられている。

これも週刊現代（令和二年三月十一日付電子版）などが取り上げているが、東日本大震災の復興のために使われるのは、ごくわずかだという。

「沖縄、北海道など全国の道路改修・新設」「南極でのシーシェパード対策費」「クールジャパンの推進」「検察運営費」「荒川税務署の改修」「東京スカイツリー開業プレイベント」「航空機購入費」「米国での戦闘機訓練費」「ODA」「小型衛星局」など、名目だけで震災とは無関係であることが一目瞭然である。

また、国会議事堂のシャンデリアのLED取替えや、内閣府の霞が関合同庁舎四号館の建て替え費用など、永田町・霞が関のほか全国で潤沢に復興予算が「国家機関のリフォーム」に使われていた。

たとえば東日本大震災の翌年である平成二十四年の復興予算は四兆円弱だったが、この半分の二兆円は霞が関の官庁の予算として全国にばらまかれたという。

経産省の被災地向けの新規事業「国内立地補助金」も、被災県の企業は全体の五パーセントもなかった。

また、北海道大学から沖縄大学まで全国各地の国立大学の改修が復興予算でまかなわれていた。被災地の大学へは四十六億円だが、三百八十九億円が被災地でない大学にばら撒かれている。

また、復興予算のうち個人に支給される「被災者への住宅再建支援」は全壊で三百万円である。家を建て替えるのだから、話にならないが、これは復興予算十九兆円から見れば二パーセントである。二重ローンに苦しんでいる人もいるのに、もっと支援できないのか。

また、復興支援に限らないが、国は個人への保障を手厚くすることは考えない。個人資産の形成につながるからだ。

一方で、土地のかさ上げなどインフラ整備には何兆円もの復興予算が使われてきた。しかし、工事が完成するまで何年間も立ち入りできないので、住民たちは別の町に住み、戻らない人も少なくはないだろう。

かさ上げ工事が終わっても三分の一は未使用だというが、当然である。いきなり更地をもらったところで、ゼロから建てられる建築費がある人は少ないし、かさ上げした土地が津波に強いとも思えない。

個人はダメなのに、会社の場合は何でもアリである。申請すれば復興予算から何千万円ももらえた例はいくらでもあるという。

こうしたことが少しずつでも報道されているのに、状況はまったく改まることはなく、私たちは毎年復興税を納めている。

大手ゼネコンの「公金横領」は解消できるか

税金をムダ遣いするのは、役人だけではない。

わかりやすいのが、東日本大震災の「復興費」が大手ゼネコンKの社員（当時）に流れていた事件だと思う。原資は税金である。

「納税義務を無視して自らの利益と保身を優先しようとする浅ましい態度が顕著。強い非難に値する」

令和三年十二月、仙台地裁の中村光一裁判長はこう断じて、K東北支店の元営業部長に懲役一年・執行猶予三年、罰金二千万円（求刑は懲役一年、罰金二千五百万円）を言い渡した。

「浅ましい」とまで言われた元部長は、東日本大震災の復興支援事業で、下請け業者に選定する「見返り」として三重県の解体工事会社からカネを受け取っていた。

下請けからカネをもらったり、飲食店やゴルフの接待を受けたりすること自体はめずらしくはないが、この事件では受け取ったカネだけで約二億二千万円になっていた。もちろん申告せず、約八千三百万円を脱税したとして所得税法違反の疑いで令和三年六月に起訴されたのだ。

報道によると、この元部長は、現金を受け取るだけではなく、キャバクラで一晩に何百万円も使い、その費用も下請けに払わせていた。しかもゴルフ接待を受けているところを写真週刊誌が報じたこともあるが、社内では特に問題になっていなかったという。

これでは裁判長に「浅ましい」と言われても、しかたがない。

だが、この元営業部長は令和二年十二月にKを懲戒解雇されているが、同じような件で同年三月に懲戒解雇された「土木部元幹部」はなぜか逮捕されていない。

二人は同期入社で、キャバクラでごつい接待を受けていたことがわかっている。なぜ元営業部長は逮捕され、土木部元幹部は逮捕されなかったのか。

この元幹部は、同じく東日本大震災の復興事業に関連して、架空の請求書で約七千九百万円を脱税したとして法人税法違反などで起訴された兵庫県の廃棄物処理機械設置会社の元社長との関係が取り沙汰されていたのだ。

この元社長は、令和二年十二月に懲役一年・執行猶予三年（求刑懲役一年）、法人としての会社は罰金二千万円（求刑罰金二千三百万円）の判決を受けている。

報道によると、元社長は岩手県や宮城県の震災復興事業で下請けとして参入しており、複数の協力会社に工事の外注を装って架空の請求書を作らせて経費がかかったように偽装していた。

こうして作られた裏金は、元幹部にも流れたとされるが、なぜおとがめなしなのか。

報道によると、複数の下請け業者は、元幹部の親族の依頼で、家電製品などを数百万円分購入していた（令和三年六月二十八日付朝日新聞電子版）。

家電の購入を断ろうとすると、「Kの下請け工事はほしくないのか?」などと言われたため、断れなかったという。

Kの関係者は、「潤沢な復興予算のもと、下請けからカネを得て遊興費などに使い放題。社員のモラル低下がかつてないほど進んだ」と分析している。

新聞の取材に応じた元営業部長は、下請け業者からの現金提供は、「計画の見直しや工事短縮のアドバイスで利益が出たことによる下請けからの謝礼と理解している」と説明、「解体工事の専門家として調子に乗っていた。今は深く反省している」と明かしているが、土木部元幹部からは回答はなかったようだ。

報道でも指摘されていたが、ここまで大きな金額になったのは、管轄が国土交通省ではなく、環境省だったこともあるのではないか。昭和二十三年から国内の建築や工事を仕切ってきた建設省の流れを汲む国交省とは歴史がまったく違う。

復興支援は、金額が大きく、現場も多いので、いくらでもごまかしがきくと思われているようだが、そうはいかない。環境省も監視体制を強めてほしい。

一方で、あまり厳しくするとゼネコンから優秀な人材がいなくなるとの見方もある。現場の仕事はキツいが、「所長になれば家が買える」「高級外車が持てる」と思うからがんばれるというのだ。

それが、「キツいのにうまみがないなら転職しよう」となってしまう。一級建築士の資格を持っていることも多いので、よそへ移ってもやっていけるのだ。

施工を管理できる者がいなくなると、現場の作業はますます雑になり、手抜き工事や裏金も横行する。

とはいえ下請けを泣かせるようなことは絶対にダメだ。

Kの元部長らが一回あたり百万円以上の飲食を繰り返し、一千万円単位の現金を要求することもあり、下請けは大変だったという。

元部長の逮捕も、下請けの会社が元部長らにカネを払えなくなり、告発したのだろう。下請けが黙っていれば、発覚することはないのだ。欲を出し過ぎたと思う。

報道には下請け企業の関係者の話として「元部長は尋常ではない派手な飲み食いをしていたが、工事の受注で会社の利益は上がっており、自分の給料から費用を出していた」との証言も紹介している。それほど「Kからの下請け」は利益を出せたということだ。

ここまで巨額の脱税はめずらしいが、数百万円単位の水増し請求なら、私も何度も加担させられてきた。今はゼネコンの下請けはしていないので、まったく関わりはないが、同業者でゼネコンから水増し請求とキックバックを持ち掛けられて応じなかった業者はいないと断言できる。下請けの仕事をもらえるからだ。

建設業の水増し請求とは、たとえば一千万円の工事を「二千万円でやったことにしろ」とゼネコンの担当者から言われたら、そのとおりに資材の費用や人件費を水増し偽装して請求書を出す。昭和の頃からの王道の手口である。

ゼネコンから下請けには二千万円が払われるので、水増し分を下請けがキックバックとしてゼネコンの担当者に渡す。

なぜこんなことがバレないかというと、請求内容は工事の現場ごとに管理しているからだ。足場など建設作業の時には必要でも竣工したらなくなるものは、資材や作業者の数などをちょっとくらいごまかしても本社の内勤の事務員にはわからない。

下請けは元請けからの仕事がほしいから、よほどのことがない限り口を割ることはない。協力関係がきちんとできているからこそできる手法である。

もう一つは、予算よりも経費を安く仕上げて差額を懐に入れる方法である。たとえば同じ部品でもより安く買える業者から調達することで百万円の予算を八十万円に抑えられても、浮いた二十万円を会社の利益にしないでネコババする。これもよくある手口であるが、いずれにしろ「もらう方」と「渡す方」の協力と信頼関係が不可欠である。

このほかにもキャバクラやゴルフの接待も日常化していたから、私はバカバカしくなって、ゼネコンとのつきあいそのものをやめてしまった。

企業のコンプライアンス（法令遵守）がうるさくいわれる時代になっても、こんな事件は起こるのである。

真面目に働くのがばかばかしくなる日本

「税金取り官僚というのは、ちょっと頭がおかしい人たちですね」

消費者金融大手・プロミスの創業者の神内良一氏（故人）の言葉である。作家の副島隆彦氏の著書『税金官僚に痛めつけられた有名人たち』（光文社）に紹介されていた。

本書によると、神内氏は総資産額が千百四十四億円にものぼり、国税には「相当やられた」ようだ。

「サラ金」というイメージの悪さもあるだろうが、寝る間も惜しんで働き、きちんと所得税や固定資産税を納めてきたのに、課税は厳しく、さらに亡くなった息子さんの資産を相続したことで、莫大な相続税を払わなくてはならなかった。

収入に応じて税金を納めているのに、なぜさらに相続税を取られるのか。この「二重増税」も日本をダメにしている。

既に税金の安い海外に拠点を移すビジネスエリートや富裕層は珍しくなく、その結果として国内の高額納税者が減ることになり、最終的には国家の損失になるのに気づくべきである。

第六章　永田町と霞が関を変えるには

「自民党政治」はどこへ向かうのか

令和五年という年は、ジャニーズ事務所や宝塚歌劇団、日本大学など日本を代表する大組織の問題が噴出、十一月には自民党の五派閥の裏金問題の捜査に東京地検特捜部が着手する事態となった。

こんなことは、令和四年には誰も想像できなかったと思う。想定外の「時代の大転換」である。

とはいえジャニーズ事務所創設者の性加害問題や宝塚のいじめ、日本大学の学生らの素行不良、自民党の腐敗など、国民はみんな「なんとなく」は知っていた話であった。今まではさまざまな「忖度」があって、マスコミが取り上げなかっただけである。

ジャニーズ事務所についてはイギリスのニュース番組が取り上げたこと、宝塚は自殺した元団員の遺族らが証拠をきちんと保全しておいたことで、忖度してきたマスコミもいわば外圧から「しかたなく」報道するようになったのだ。

令和五年十一月から連日報じられている自民党の裏金問題は、もともとは共産党の『しんぶん赤旗』の令和四年十一月の報道だった。記事を受けて神戸学院大学の上脇博之教授が告発していたというのだが、当時はほとんど話題にならなかった。

それは、スクープしたのが「共産党だから」である。

平成十一年に冷戦が終わってから二十年を経ても、自民党もマスコミも一般の企業も、大手はみんな「反共」(反共産主義)である。自民党の幹部らと統一教会との関係が深くなったのも、統一教会が反共を掲げているからだ。

この背景には、終戦から昭和三十年代くらいまでは「日本の共産主義化」が深刻に恐れられていたことがある。

労働組合や学生たちが暴れまわり、太平洋戦争で散った英霊たちに申し訳ないような「反日的な」事件ばかり起こしていた。

こうした体験から、今も共産主義や社会主義に賛同できない人は多い。私もその一人であり、自民党の裏金問題の記事も気に留めなかったが、なぜか一年も経ってから検察が動いたのである。

ＮＨＫ（令和五年十一月十八日付電子版）は、「自民党の五つの派閥の政治団体が政治資金パーティーに二十万円を超える支出をした団体の名前など、合わせておよそ四千万円分を収支報告書に記載していなかったとして告発状が提出され、東京地検特捜部が五つの派閥の団体の担当者に任意の事情聴取を要請し、聴取を進めていることが関係者への取材でわかりました」と報じた。告発状に記載されている「五派閥の未記載の金額」について、

「清和政策研究会」（安倍派）が約千九百万円
「志帥会」（二階派）が約九百万円
「平成研究会」（茂木派）が約六百万円分
「志公会」（麻生派）が約四百万円分
「宏池政策研究会」（岸田派）が約二百万円分

と伝え、「特捜部は収支報告書が作成された経緯や派閥の政治資金パーティーをめぐる資金の流れなどについて調べを進めるものとみられます」と結んでいる。

その後は、ＮＨＫに続いて他のマスコミ各社も競ってこの問題を取材してきた。特に臨時国会が閉会した十二月十三日以降は関係者の事情聴取が増え、「大物逮捕」をにおわせ

るような報道も目立っている。

検察は、五派閥のうち金額が最も多かった安倍派をターゲットに捜査を進めており、岸田政権を支える「安倍派五人衆」といわれる松野博一官房長官、高木毅国会対策委員長、世耕弘成参院幹事長、西村康稔経済産業相、萩生田光一・同党政調会長のほか、橋本聖子元五輪相などの名前も挙がっている。

『赤旗』のスクープや大学教授の告発はまったく気にしていなかった自民党も、ここまで来てしまうと、さすがに焦りは隠せない。

一千万円近いキックバックを受けていたとされる世耕参院幹事長は、マスコミの取材に対して「いつまでも説明しないと言っているわけではありません。しっかりとけじめがついて、節目が出てくれれば私もしっかり説明したい。説明責任をいつかは果たしたいと思っています」とよくわからないことを言ったことも報道されている。

まさか自分にまで捜査が及ぶとは思わず、慌てたのだろう。

検察がどこまで本気なのかはわからないし、もしかすると既に水面下では「捜査の落としどころ」が話し合われているかもしれない。

だが、私の経験で言うと、検察庁は「大物逮捕」にはかなり意欲的である。「議員バッジ」をつけている者を逮捕するのは、一般人を逮捕するよりも達成感があるのだ。

私の会社の横領事件では、横領をされた側の「被害者」である私が鈴木宗男議員の支援者と知るや検察は私を逮捕までして宗男議員逮捕につながるものを探した。もちろん宗男議員にやましいことがあるわけもなかったが、私はしつこく取り調べを受けたのである。

それに、検察の安倍派に対する思惑のようなものも感じる。いい感情がなかったのではないか。

領袖の安倍晋三元総理が亡くなっているので、検察には「遠慮しなくていい」という空気があるだろうし、令和二年の「検察庁法改正」の因縁もある。

安倍政権時代に、「政府に忖度できる」との評価のあった黒川弘務検事（当時）を検事総長にするために法改正までして検察官の定年を延長しようとしたことは、記憶に新しいところである。

この時はなぜかインターネットで反対運動が盛り上がり、俳優の小泉今日子ら著名人らも反対したので、検察庁法改正案の提出は見送られている。

結局のところ、黒川検事は懇意の記者との賭け麻雀問題で失脚、のちに退官したが、検察庁としては総長の人事も含めて今後も官邸には口を出されたくないので、「存在感」を示しておきたいのではないか。

東京地検特捜部の捜査はどこまで行くか

「令和五年の自民党の裏金問題」は、「令和のリクルート事件」とまで呼ばれているという。リクルート事件とは、昭和六十三年六月に発覚した政財界、マスコミの有力者らに対する贈収賄事件である。

江副浩正率いる株式会社リクルートが子会社「リクルートコスモス社」の未公開株を中曾根康弘、竹下登、宮沢喜一、安部晋太郎、渡辺美智雄ら自民党の重鎮のほか、野党の日本社会党（当時）の幹部や日本経済新聞社長らにも譲渡していたことで、社会は騒然となり、一大疑獄事件となった。

この問題で、江副社長のほか当時の文部省や労働省の官僚ＮＴＴの真藤恒らが逮捕起訴されたが、政界では藤波孝生元官房長官と公明党の池田克也、議員秘書らが在宅起訴されただけで、中曽根や竹下ら大物政治家は立件されなかった。

今回もそうなる可能性が高いが、報道は過熱している。

政治にはある程度のカネがかかることは私も承知しているが、自民党に対する令和五年の政党交付金は約百五十九億円で、さらに裏金がほしいとは、どういうことか。

問題になっているのは、所属議員にパーティー券販売のノルマを振り分け、ノルマ以上に売りさばいた議員に対してはその分をキックバックするという方法である。このカネのやりとりは、派閥も所属議員も政治資金収支報告書に記載義務はないという。

これがおかしいところだが、政治資金規正法に規定がないという。

そもそも裏献金とは、政治家が直接、現金で政治献金を受け取った時に領収証も渡さず、政治資金収支報告書にもまったく記載しないものであるが、郷原信郎弁護士（『プレジデントオンライン』令和五年十二月七日付電子版）によると、法律的には「裏献金」のやりとり自体は犯罪ではないという。

なぜなら、政治資金規正法では、「どの団体に宛てた献金なのか」を特定しなければならないからだ。

規正法では、政治団体や政党の会計責任者等に、政治資金収支報告書の作成・提出を義務付けている。これに違反して、収入や支出を記載しなかったり、虚偽の記載をしたりすれば処罰される。

たとえば、政治家個人に宛てた献金が「寄附」の場合、「公職の候補者」に対する寄附は政治資金規正法で禁止されているので（二十一条の二）、寄附をした側も寄附を受け取った側も処罰される。

だが、裏金は個人宛か団体宛てかも明確にされないので、それが特定できない限り規正法上は罪にはならないのである。

公職選挙法など政治に関する法律はわざと複雑になっている印象しかないが、東京地検特捜部は、全国の検察庁から応援を呼んで捜査していることも報じられている。

現在の検察庁には、もはや黒川元検事のような「政府に忖度する検事」はいないそうで、今回の捜査を「清和会の天下」の終わりとする見方もある。

そもそも清和会＝安倍派がもう亡くなっている元総理の名を冠しているのもおかしいの

だが、思えば鈴木宗男議員の逮捕も、清和会の小泉純一郎政権下であり、時代が新自由主義へと変わっていく節目であった。時代の転換期の「生贄」にされた宗男議員は刑務所まで行くことになる。

本来の自民党にはリベラル系から右派まで幅広い人材がいて、党内で政権争いが続いていた。反主流派が主流派を批判することでバランスが保てていたのだ。

戦後から平成の初めくらいまでは、経済成長を重視した吉田茂から田中角栄、竹下派の平成研究会が主流派でリベラル色が強く、岸信介や中曾根康弘など右派との攻防は建設的と言えた。

その後は森喜朗から小泉純一郎へと、経済成長よりもアメリカとの関係を重視する清和会の総理が登場し、総理の権限を強めていった。

そして、この頃から国民の賃金は上がっておらず、物価だけが激しく値上がりする状態が令和になっても続いている。

一方で、自公の連立も時代の転換期を象徴していたと思う。

平成十年の参議院選挙で過半数を取れなかった小渕恵三政権は、翌十一年十月から公明党と連立政権をめざし、平成十五年からは「自公両党の連立体制」が成立している。

その後に小渕総理の急死を受けて森喜朗政権が発足、続く小泉純一郎政権では、平成十七年の郵政選挙を機に勢力を拡大させた。現在の所属議員は九十九人の最大派閥となり、約五十人の麻生派のほぼ倍である。

ただ、安倍派ほか自民党内の大物議員が全員逮捕さることはないし、仮に逮捕されたところで、「自民党的」なものがなくなることはないと思う。

自民党あるいは自公連立に代われる政党、政治家が育っていないからだ。選挙の投票率は相変わらず低く、国民は政治家に期待することはないらしい。

政官財「無責任」の構造

「今だけ、金だけ、自分だけ」

政治家や官僚、会社の経営者などを批判する時に使われるが、東京大学の鈴木宣弘教授が使い始めた言葉だという。

鈴木教授は、平成三十年の鈴木研究室の卒業生らに「いまの政治や業界のリーダー達は、『今だけ、金だけ、自分だけ』で、部下や現場で頑張っている人々のためでなく、自らの利益と保身のためだけに、むしろ周りを容赦なく犠牲にする見苦しい方が多すぎます。みなさんは、これからの日本、アジア、そして世界を背負う人材として、拠って立つ人々のために尽くしてこそ、自らも成り立つということを忘れず、それぞれの立場から、社会の発展に貢献し、自ら責任をとる覚悟を持ったリーダーになってくれることを願っています」とする祝辞を述べている。

さらに、「組織や会社が存続できるのは、その組織がよって立つ農家や消費者という現場が持続できるからこそ」とし、「今だけ、金だけ、自分だけ」(「三だけ主義」)でなく、何ごとも基本は「売り手よし、買い手よし、世間よし」(三方よし」)だとした。

立派な言葉だが、逆に言うと鈴木教授の教え子以外の東大の学生たちは、こんなことも教えられずに社会に出るのだ。

なるほど政官財が「三だけ主義」になるはずである。

議員の数はまだまだ減らせる

日本維新の会の人気を支えているのは、大阪府と大阪市の二重行政問題の解決などを明言してきたところだろう。

私も当初は維新に注目していたが、思えばこうした問題が解決できなかったのには理由があり、むしろ維新が解決できるくらいなら、とっくの昔に解決されていた。いろいろな既得権益が絡んでいるから、簡単ではないのである。

維新が主張する議員の定数削減についても、私は総論賛成・各論反対である。議員の数は減らせばいいし、減らせるとは思うが、維新には期待できない。

たとえば、日本経済新聞（令和五年七月十五日付電子版）は、維新の共同代表を務める大阪府の吉村洋文知事にインタビューし、「直言　国会議員は三割減らせる　大阪知事が唱える国政改革」と題した記事を載せている。

この記事で吉村知事は、

一　政治家が身分を守っていては痛みを伴う改革はできない
二　自分は首相を目指さないし、首相になりたい人の気持ちがわからない
三　現時点で公明に求めるものはない。政策や理念が異なる
などを主張している。

実際に大阪府議会は過去十年間で百九の定数を七十九まで削減することに成功し、大阪市議会も令和九年予定の市議選から定数を現行の八十一から七十へと減らす方針だという。

もちろん「強硬過ぎる」との批判はあったが、維新の掲げる「身を切る改革」を実践しており、私は評価している。

令和五年七月といえば、既に万博の成否が問題になっていた時期だが、その前の四月の統一地方選挙で維新の議席が躍進したことで、注目を浴びた。

そして、次の衆議院選挙では、「野党第一党」を目指してすべての小選挙区に候補者の擁立を宣言している。

だが、その一方で、この日経新聞の記事では「自分の議席を守るのに必死な政治家の集

団では生産性は向上しない。政治家自身も新陳代謝していかなくてはならない。国会も議員の定数や報酬の削減から始めるべきだ。維新が自民に取って代われば直ちに定数の三割削減を実行する」と大見得を切る。

「野党第一党を目指す」としながら、「自民に取って代わる」という意味がわからない。こういうところに甘さが出ているのではないか。

維新は「お騒がせ議員」が多すぎる

何よりも維新には、所属の議員や元議員が騒動を起こしてばかりいる一方で、鈴木宗男議員のような有能な議員を大事にしないという重大な欠陥がある。

こうしたことが維新に賛同できない理由である。

令和五年には自民党のドミノ辞任が問題になったことは別に書いたが、維新はそれ以上である。

ざっとインターネットで検索しただけでも、驚くほどたくさんの事例が出てくる。

たとえば上西小百合元衆議院議員は、平成二十七年に衆議院本会議を病気で欠席していたのに六本木の居酒屋やショーパブをハシゴして飲み歩いていたことなどが週刊文春の「文春砲」で明らかになり、大阪維新の会と維新の党から除名処分を受けている。

写真集を出したり、テレビドラマや舞台に出たりしているというから、最初からそういう才能を生かせばよかったのではないか。なぜわざわざ国会議員になり、わざわざ国会議員として問題のあることをやらかして、わざわざ騒動を起こすのか。まったく理解できない。彼女を「浪速のエリカ様」と持ち上げるマスコミもわからない。

それ以上に、令和元年七月からＮＨＫから国民を守る党・副党首に就任している丸山穂高元衆議院議員など言語道断である。

東大卒で経産省官僚、日本維新の会から小選挙区で三回も当選しているという輝かしい経歴であるにもかかわらず、お騒がせ過ぎる人材である。

令和元年五月に北方領土の国後島をビザなし交流で訪問した丸山議員（当時）は、酔った状態で関係者に「（ロシアと）戦争しないと、この島は取り返せない」と発言して維新を除名になっている。

しかも、その発言の前に「おっぱい！　おっぱい！　オレは女の胸をもみたいんだ」などと騒いでいたことがわかっている。

夜間に「女を買いに」宿舎の外へ出ようとして、止めに入った関係者を殴り、その後も酒を飲んで、「戦争発言」をしたという。

これは当たり前だが、国際問題になってしまった。

騒動を受けて、ロシア外務省のザハロワ情報局長が会見で「一人の政治家の悪ふざけなのか日本社会の考えを反映しているのか見極めたい」と話したというのだ。

ロシア当局は、まず丸山氏の経歴を調べ直した。

東大を出て経産省に勤めてから、小選挙区で三回も当選していること、日本政府が選んだ北方四島への「代表団」のメンバーであることから、当然「それなりの立場の人物」と判断されている。

「きちんとした立場の人間が、わざわざアホみたいな騒ぎを起こしたのは、何かウラがあるのではないか？」というわけだ。

「現在の日露関係の交渉を停滞させようとしている、日本の勢力による謀略ではないか」

と疑われたらしい。

私は、このことを鈴木宗男議員から聞いたが、当時の駐日ロシア大使であったガルージン氏が宗男議員に電話をしてきたという。

ガルージン大使は日本語が堪能で、宗男議員が「丸山さんは、何年か前に飲み屋で知らない人とケンカになり、その人の手に噛みつく事件を起こしている」と説明した。

この騒動も新聞ネタにもなっているが、平成二十六年の暮れに居酒屋から出てきた丸山議員（当時）が複数の男とケンカになり、「首を絞められそうになったので相手の手を噛んだ」というのだ。

当時は「橋下チルドレン」の一人であり、「軽率」という言葉では足りないだろう。最終的には和解したというが、その後も丸山議員は維新から当選している。この段階で丸山議員の本性を見抜けていないのが、維新や橋下徹氏の甘いところだと思う。

この「噛みつき事件」を聞いたガルージン大使は、「そんなに激しい論戦をしたんですか」と驚いたという。

「いやいや単に酔っ払ってもめただけです」と宗男議員が説明し、「丸山議員はちゃんとした大人ではない」から、政治的な意図は何もないことを理解してもらったという。

おかしな人間はどこにでもいるということで理解してもらえたのだろうか。

この件について、作家の佐藤優氏は「下品であることが政治家の推進力にさえなっている」と言っていて、私はそのとおりであると思いながら、心底がっかりしている。

かつての「国士」のような政治家は出てこないのか。

宗男議員は国士の志があるが、もっとこのような人材が出てきてほしい。国後島で酔っ払って「おっぱい」と叫ぶバカに誰も税金を払いたくない。

さすがに上西氏と丸山氏はひどすぎるが、維新には他にも「お騒がせ人材」がそろっている。

たとえば歌手の中条きよし参議院議員は、なぜか国会で新曲発売とディナーショーを告知して呆れられ、年金保険料が三百万円以上も未納であったことも明らかになっている。

令和五年現在も日本維新の会所属の埼玉県上尾市会議員である佐藤恵理子市議は、「下着姿」などの自撮り写真をツイッターで公開し、販売していたとして「次の選挙から非公認」を言い渡されている。

梅村みずほ参議院議員は、入管施設で亡くなったスリランカ人女性をめぐって憶測を繰り返して批判され、令和五年五月に六か月の党員資格停止処分を受けた。

維新側は、梅村議員については、「直接的な処分理由は発言内容ではない。指示を聞かず、勝手な判断で質疑に立った。ガバナンスを逸脱した行為だ」「国会での質疑は、事実確認にとどめ、自己の主張は行わないようにとする党の指示に反した」と説明している。

党に所属している以上、党の指示に従うのは当然だが、この梅村議員の場合は公設第一秘書も「お騒がせ」であった。

この秘書は、令和三年四月のコロナ禍の緊急事態宣言の初日夜、酒を飲んで知人とケンカし、車でひいたとして殺人未遂容疑で逮捕されたのだ。最終的には示談にしたそうで、不起訴処分（起訴猶予）になったが、もし亡くなっていたらえらいことであった。私設秘書ならともかく、公設秘書である。

一人の議員に三人まで認められている衆参議員の公設秘書は、公務員として国から給料が支払われ、試験も難しい。酔っ払って殺人未遂事件を起こすとは、どういうことなのか。

また、前川清成衆議院議員は、令和三年の総選挙の公示日前に母校の卒業生へ投票を呼びかけるハガキを郵送し、公職選挙法違反で罰金三十万円の判決を言い渡されている。これなど秘書がしっかりしていれば防げた事件だと思う。なんでも秘書のせいにする議員もいるが、公選法や政治資金規正法は秘書がしっかり理解して処理しなくてはならない。

このほかセクハラやストーカー系、カネ絡みの問題もある。

笹川理大阪府議は、かつては大阪府議団代表も務めたが、同じ維新の女性市議にパワハラやストーカー行為をして、令和五年五月に除名されている。

笹川市議は既婚者で子どももいるというが、女性市議のＬＩＮＥに「おれと仲悪くなって、（女性市議が）府議団に誘われると思う？」「おれだって、一方的な想いだけじゃ、壊れちゃうよ」「心の底から愛しているって言える相手やから」と気持ち悪すぎる言葉をこれでもかと並べていることが「文春砲」に暴露されているが、令和五年現在は府議である。

また、令和四年の参議院選挙で、党比例代表の候補者だった元富山市議会議員の女性に対し「支援の見返り」として、政治資金収支報告書に記載しない現金一千万円を要求したことが発覚した。この件で離党勧告を受け、「党の認定が間違っている」と拒否し、除名処分を受けている。

変わったところでは、堀本和歌子元福岡市議の「なりすまし事件」があった。ライバルの男性候補になりすまし、男性が統一教会と関係があるかのようなビラを配布し、令和四年十月に離党処分を受けている。

なぜここまで不祥事が続くのか。公募なのでいろいろ変なのが応募してくるのはわかるが、面接などでだいたいわかるのものではないのか。

面白いのは、インターネットテレビに出た馬場伸幸代表は、「一番困った事件」を聞かれて、「飲酒による変な発言」と答えたことだ。

「本人も記憶にない、事情聴取してもかみ合わない」ことから、収拾がつかないという。「おっぱい騒動」を起こす議員にも多額の税金が使われていることにもっと有権者は怒らなくてはならない。

鈴木宗男議員を徹底擁護する

「お騒がせ議員」ばかりの維新の中で、鈴木宗男議員の存在感は大きかったが、最終的には維新と袂を分かつことになった。

それはしかたないと思う。維新ではムリだったのだ。

宗男議員の離党のきっかけは、訪露である。

令和五年九月の宗男議員のパーティーで、佐藤優氏がウクライナ情勢を受けて「今こそ宗男さんはロシアへ行くべき」と述べたのだが、なんとその翌日に、宗男議員はロシアへと向かったのである。想定内ではあったが、私も驚いた。

この件で、所属していた日本維新の会は激怒し、翌十月に「党の規律を乱す行為があった」として、維新が宗男議員の除名を発表、宗男議員はその前に離党届を出して受理された。

処分は、宗男議員が「ロシアの勝利を確信している」と述べたことも理由だったというが、これには語弊がある。超軍事大国であるロシアにウクライナが勝てると思っている人はどれだけいるのだろうか。

この年の五月の連休に、既に宗男議員は訪露を予定して海外渡航届を提出、参議院議院運営委員会の理事会で許可されていた。だが、維新が「国益にマイナスにならないかなどを総合的に考えて判断してもらいたい」と慎重な対応を求めていた。

この時はロシアの担当者とのスケジュールが合わずに中止になったが、所属する参議院の許可があったのに、おかしいではないか。

宗男議員は、「お騒がせ議員」のように意味不明なことを言っているわけではない。対ロシア外交では日本で最も影響力のある政治家である。ロシア語が堪能な佐藤優氏など優秀なブレーンもいる。維新はそれをじゅうぶんわかっているはずだが、反対したのだ。

私は全面的に宗男議員の行動に賛同するが、それは佐藤氏も同じであった。

ネットニュース「ダイヤモンド・オンライン」（令和五年十月十三日付）は、「鈴木宗男議員のロシア訪問に批判殺到…それでも佐藤優が『大きな外交成果』と評価する理由」と題して佐藤氏の分析を載せている。

それによると、鈴木議員はモスクワでロシア外務省のルデンコ次官、ガルージン次官と会談して即時停戦を呼びかけたほか、北方領土の元島民の墓参や領土周辺の漁業の安全操業、さらに福島第一原発の処理水の海洋放出の問題についても話し合い、成果を上げている。

処理水の海洋放出について、当初ロシアは中国と一緒に批判しようとしていたが、宗男議員が科学的根拠に基づいてきちんと説明したことで、ロシア側は冷静になったというのだ。

そもそも宗男議員も佐藤氏も「ロシアの行為が侵攻である」という認識は日本政府と同じであり、宗男議員は参議院の「ロシアによるウクライナ侵略を非難する決議」（令和四年三月二日）にも賛成している。

ただし、ウクライナ戦争については、ウクライナとゼレンスキー大統領が「ミンスク合意2」を遵守しなかったことに政治的責任があると、宗男議員は主張してきた。

「ミンスク合意」は、平成二十六年から二十七年にかけてウクライナ東部で続いた軍事衝突の停止を目指して結ばれたもので、「1」と「2」がある。

この軍事衝突は、親ウクライナの大統領に対する抗議デモが発端といわれ、ロシアの支援を受けたウクライナ国内の親ロシア派武装勢力が東部のドネツク、ルガンスクの両州を支配した。

ウクライナ軍は、ロシア軍が直接戦闘に介入したことで相当の打撃を受けたというが、ロシア側は否定している。

この問題の解決のために隣国の首都ミンスクで、ドイツとフランスが仲介して合意がまとめられたが、大規模な戦闘は止まったものの合意後も断続的に戦闘が続いてきた。ウクライナ国内で令和三年に行われた世論調査では、国民の七十五パーセントが「ミンスク合意は修正ないし放棄すべき」と回答、「履行すべき」との回答は十二パーセントにとどまっているというが、合意は守られるべきであった。コメディアンが悪いとは言わないが、元コメディアンであるゼレンスキー大統領は、政治的には「素人」なのだ。国際情勢を見据えた専門家の意見を聞いて行動すべきということである。

だが、少しでもウクライナを批判して、ロシアの肩を持つと問題にされるのが今の日本である。

宗男議員は、生命を賭けてロシアまで行って停戦を説いたのだ。

ロシアに対しておもねったことを言っているわけではないし、有事に際して当事者の国家と対話ができる国会議員は絶対に必要である。

また、佐藤氏は同じダイヤモンド・オンラインで「過去の例に照らせば、除名処分は明らかに行き過ぎ」と、平成二十五年十月のアントニオ猪木参院議員（日本維新の会）の北朝鮮への渡航の例を挙げながら指摘している。

当時は国会会期中でもあり、参議院の運営委員会理事会は、「渡航不許可」としたが、猪木議員はこの決定を無視して訪朝している。

参議院の懲罰委員会は、全会一致で猪木議員の「登院停止三十日」の処分を可決し、翌日の参議院本会議では、日本維新の会を除く賛成多数で可決している。日本維新の会は党独自の処分として、「党員資格と党国会議員団副幹事長職のそれぞれ五十日間停止」を決めている。

宗男議員の場合は、国会の会期中ではなかったし、手続きにミスがあったとはいえ届け出もしているのだから、猪木議員に比べて除名とは重すぎる処分である。

佐藤氏は、「関係が悪いときこそ、対話が必要だ」という宗男議員の意見に賛同を表明、「個々の議員が対話チャネルを維持することは、日本の国家並びに国民の利益にかなう」「今回の宗男議員の訪ロは日本の国家と国民の利益に照らして評価すべき」とまとめている。

離党に当たり、宗男議員は記者団に対して「私はこれからもロシアと向き合っていかなければならず、ここで離党し自由な立場でものを言うことが自分と党のためになる」と述べている。

それにしても、なぜ「対ロシア」となると、日本は態度を硬化させるのか。

NHK（令和五年十月十日付電子版）は、宗男議員の離党について、立憲民主党の岡田克也幹事長や日本共産党の小池晃書記局長、国民民主党の玉木雄一郎代表らからコメントを取り、それぞれ宗男議員を批判させている。これらに何の意味があるのだろうか。

岡田幹事長は「基本的に日本維新の会の中の問題だと思うが、鈴木氏の発言の中身は一方的にロシアに寄り添ったもので、適切なものとは思えない」とし、小池書記局長は、「他党のことなのでコメントは控える」としながら、「政府が渡航中止を求めているロシアに行き、『ロシアの勝利を確信している』とインタビューで答えるのは軽率ではないか」と述べている。「控える」と言いながらしっかり批判している。

この件について議論を提案した玉木代表は、評価できる。「日本維新の会の内規に従って判断されるべきものだが、鈴木氏の発言が国会決議や政府の方向性に反するなら問題視せざるをえない。個人の政治信条は尊重するが、日本としての統一的なメッセージが揺らいでいると受け取られないようにするためには、何らかの対応が必要だ。議院運営委員会を中心に問題提起し議論してみたい」とした。

ただし、その後は「議論」の話が出てきていないようで、残念である。

それはさておき宗男議員は、本当に国家のため、国民のために汗をかいている政治家だと思う。裏表がなく、常に正論をズバリというので、それを面白いと思えない人もいるのだろう。嫉妬もあるのではないか。

冤罪での有罪判決と収監も、宗男議員の力を削いでおきたかった勢力があったのだと思う。

宗男議員は何度もピンチがあった。冤罪で刑務所に入れられ、大病を宣告され、そのたびに「生還」してきた。まだまだ活躍してほしい。

居眠り議員はクビでいい

「お騒がせ議員」は、維新に限ったわけではない。

最近では、「居眠り問題」も目につく。河野太郎デジタル大臣は国会中継でもよく寝ているので、インターネット上では「寝太郎」といわれているそうだが、他にも寝ている議員はたくさんいる。

自民党安倍派の政治資金パーティーについて四千万円のキックバックを受け取った疑惑のある谷川弥一衆院議員（長崎三区）が、囲み取材で質問した記者に「頭悪いね。わからない？」と言って批判されたが、この谷川議員が国会で口を開けて寝ているところを『ＦＬＡＳＨ』（令和五年十二月十三日付電子版）などが報じている。

『ＦＬＡＳＨ』によると谷川議員は八十二歳だそうで、インターネット上には、

「うわぁ、記者に逆ギレして非難の最中に緊張感もなく、よく寝ていられるもんだわ自民党ってこんなのばっかり」

「谷川弥一衆議院議員はもう色々あれだし、議会中に居眠りする体力のないおじいちゃんだしで辞めて良いと思う…マジで議員の年齢も八十歳までとかにせないかんのでない？」

「国会で爆睡してる頭が悪いと記者に言い放つ谷川弥一という汚いおじさん出てきたけど、もう働く体力もない、眠気に抗う素振りすら見せないおじさんたちの給料のために日々

私は税金を払っているのか、その老人に頭が悪いと言われてるのかーと思うと非常に不快ですね。仕事辞めて家で寝ろ」

などの批判が相次いでいると書かれている。

谷川議員に限らず、居眠りしている議員は他にいくらでもいる。しかし、日本には、居眠りしている議員を罰する法律はないし、居眠りしていても国会は運営されているのだから、居眠りの回数や時間次第でクビにしてもいいのではないか。

では、議員がしっかり仕事をしているかどうかは、どこで測ればいいのか。

たとえば質問主意書の数でわかることもある。

国会の本会議や委員会の質疑時間は、議員の人数に比例して各党へ割り振られるので、人数が少ない政党の質問時間は少ない。

さまざまな「疑惑」で自民党を離れざるを得なかった鈴木宗男議員は、平成十六年の参議院選挙は北海道選挙区から無所属で立候補して落選、翌十七年に地域政党「新党大地」を結成して衆議院選挙で北海道ブロックの比例候補として当選した。

新党大地の国会議員は宗男議員だけの「一人会派」であり、質問の機会は与えられない。

二人以上であれば「会派」として認められ、短いが質問時間も与えられる。

そこで、宗男議員は質問主意書で意見を述べていった。

国会での質疑は、時事的な問題が中心で、あまりその時に問題になっていない質疑はできないこともあるが、質問主意書はそういった制約はなく、国政全般について内閣の見解を求めることができることもメリットである。

議員が質問主意書を提出すると、まず所属議長が確認して内閣へ送付する。内閣では担当省庁を決めて答弁書を作成し、関係省庁と協議して内閣法制局が審査する。そこから担当課長、審議官、局長、大臣が決裁し、閣議決定される。ここまでを二週間以内で行うという。

国会答弁は指摘があれば訂正できるが、質問主意書は閣議決定を受けて総理大臣も署名するので、修正がきかず、真剣勝負である。

宗男議員は、衆議院議員時代だけで二千百五十六本の質問主意書を提出、歴代議員でダントツの一位である。

自民党はもともと質疑の時間をたくさんもらっているので、質問主意書を提出するのは野党である。立憲民主党の長妻昭氏や逢坂誠二氏らの各議員はだいたい五百本くらいだから、いかに宗男議員が仕事をしているかわかるだろう。

閣議決定までなされるのだから、粗製乱造ではないことは確かであるが、面白いものもある。

平成十八年十一月の「外務省は、世耕弘成内閣総理大臣補佐官をバカであると評価しているか」という質問主意書に対し、「外務省として御指摘のような評価又は認識は有していない」(＝バカではない)という答弁がなされ、テレビのワイドショーでも紹介された。

「週刊現代」(講談社)が報じた、外務審議官の「世耕はバカだな」という発言の事情を問うたものであるが、これには外務省担当者も笑うしかなかっただろう。

宗男議員ほど働くのは難しいが、有権者は投票には必ず行って、自分が投票した候補、地元の議員についてしっかり監視すべきである。

国民のために汗をかかない議員はクビでいいし、人口も減っているのだから、もっと議員を減らせばよい。

ところで、海外の「居眠り問題」の事情はどうなっているのだろうか。

イギリスの公共放送局ＢＢＣは、令和二年一月に米議会上院で開かれていたドナルド・トランプ大統領（当時）に対する弾劾裁判で、多くの議員が居眠りやゲームをしたり、紙飛行機を折ったりして批判を浴びたことを報道していたが、法的な問題はないようだ。

議会で居眠りするのは、「ただ座っているから」だろう。これは私も眠くなると思う。自分の発言や質問のスケジュールがあれば、寝ることはないのではないか。しかし、税金をもらって議会に席があるのに、寝ている場合なのだろうか。

寝ないようにするには、カメラを入れて常に中継する方法があるが、だらだらと長い質問と答弁のやりとりを聞いているだけでは、常にカメラが回っていても寝てしまうだろう。地方には、土曜日に議会を開くところもある。平日の昼間に傍聴できる有権者は少ないからだというが、これは国会も地方議会もすべて土曜日は開くべきだと思う。

議会だけでなく、役所はすべて土曜日に開庁すべきである。

パスポートや普通免許の更新など、わざわざ会社を休まなくても手続きができるようにしてほしい。昭和の時代にはできていたことである。

なぜ永田町の「浄化」は進まないのか

この原稿を書いている令和五年十二月現在、自民党の裏金問題は地上波テレビからインターネットまで連日あらゆる報道機関が取り上げている。

捜査はどこまでいくのか。

事件を受けてテレビ局の取材を受けた鈴木宗男議員は、古巣でもある自民党について、「政治資金は税金のかからないお金で、パーティー資金はある種の不労所得ですから、情報開示と透明性が必要。それなのに『答弁は差し控えさせていただきます』なんていうのはもってのほか。『政治家は何をしているんだ』と国民の反発が強くなる」と述べている（令和五年十二月十八日放送・MBSテレビ「よんチャンTV」）。

宗男議員は令和四年の政治資金パーティーを東京と北海道で開催して、合計一億円以上の収入を計上しており、これについては「中川一郎先生の秘書時代から積み上げた人間関係」と説明した。

刑事裁判で有罪判決を受け、刑務所に収容されても宗男議員の後援者は離れない。歌手の松山千春さんがいい例だ。

なぜ政治にそんなにカネがかかるのか。

テレビ局の問いに、宗男議員は「活動費」とした。秘書も同行するので飛行機代だけでも大変な額にのぼってしまう。

そして、今回の裏金問題で最も悪いのは「議員個人」とした。「国会答弁で閣僚が『答弁は差し控えさせていただきます』などというのはもってのほかです。誰からいくらもらって、何に使いましたという情報開示と透明性が重要」であるという。

この番組で、宗男議員は、自民党時代に平成研究会（現在の茂木派、かつての田中派、経世会）に所属していたので、キックバックについても聞かれている。

政治資金法が改定されて企業献金が規制されたことで、現在のような「政治資金パーティー」が増え、宗男議員は派閥から割り当てられた枚数以上のパーティー券を売りさばいたというが、キックバックは受け取っていないという。

当時の野中広務や、青木幹雄などの有力議員は、普段から派閥に協力している政治家と、何もしない政治家に対する評価をしっかりしていたので「自分は他人よりも汗をかくのは当然だと思っていた」という。

中川一郎という大物議員の秘書ではあったが、世襲ではなく知名度もカネもない宗男議員はひたすらがんばるしかなかったのだ。

また、「東京地検特捜部の捜査で押収した書類を入れた段ボールが次々と運び出される映像」について聞かれ、宗男議員は「パフォーマンス」と答えている。箱の中には「ノート一冊」「紙切れ一枚」のこともあったという。

私の事件の時には、かなり書類も持って行かれたが、宗男議員の頃は、ある意味のんびりしていたのかもしれない。

宗男議員は、「段ボールを運ぶのは、パフォーマンスであり、私はいいことじゃないと思っています。あの大きさの段ボールに全部書類を入れていたとすれば、一人では持てません。検察のやり方で『はいガサ入れしました。段ボール何十箱です』なんて持ってくるけど、全く意味のない話ですね」と批判していた。

マスコミは「東京地検特捜部の捜査員が段ボールを持って歩いている絵」を取りたいだけなので、段ボールの中身について問題視することはなかったが、宗男議員など「当事者」の証言で、中身の問題も浮上したのである。

なぜマスコミは「忖度」するのか

自民党もジャニーズも宝塚も地上波のテレビ番組が報道するまで時間がかかることは多い。

マスコミが「忖度」するからである。

令和五年十一月から大きく報じられた自民党の裏金問題も、実際には一年前から問題になっていたし、令和五年七月から週刊文春のいわゆる「文春砲」が追い続けた木原誠二官房副長官（当時）のスキャンダルも地上波テレビはずっと黙殺していた。

平成二十八年に亡くなった男性の死因について、木原誠二官房副長官（当時）の妻の関与の疑惑を報じたのだが、当時はワイドショーなどで取り上げられることはなかった。

木原副長官の妻は、もともとは亡くなった男性の妻だったという。

真実は、副長官の妻と亡くなった男性しか知らないであろうから、私は特に書くことはないが、週刊文春などによると、木原副長官の妻が男性の死について「関与」しており、それを副長官がもみ消したらしい。

この問題には警察幹部も絡んでいるようで、マスコミは追及しなかったともいわれる。令和五年十一月には木原元副長官の東大の同級生で弁護士の西脇亨輔さんがテレビ朝日を辞めてまで追求することを発表するなど波紋は広がっている。

西脇さんは、週刊現代（令和五年十一月二十五日付電子版）で、「この国では強者や権力者に噛みつくことはお行儀が良くないとされ、巨大な権威に異を唱えたり不正を告発した人は、ほぼ例外なく幸せになっていない。この原稿で私が幸せになることも、ない。でも幸せを諦めた人間にしか言うべきことを言えない世の中はどう考えてもおかしい。正当な告発や検証に、勇気なんて必要であってはいけないのに」と執筆への思いを書いている。

まさにそのとおりである。

どうすれば永田町や霞が関を浄化できるのか。

少なくともマスコミは忖度などしないで、どんどん問題を報道してほしい。

私は毎日ニュースを見るたびに腹が立ってしかたないのだが、ただ怒るよりも、きちんと問題点を整理し、世に問いたいと思って、慣れない筆を執っているのだ。

あとがき

地球は、あと何年もつのだろうか。

誇張ではなく、最近は本当にそう思っている。

日本は「瑞穂の国」の名の通り、本来は稲穂の実る美しい国のはずだった。

しかし、最近は休耕田や耕作放棄地ばかりである。

また、Ｇ７先進七か国の中で国土の三分の二が森林なのは日本だけなのに、その森林は荒れ果て、海も川も山も汚れ放題である。

山でエサを取れなくなったクマやサルが里を荒らし、人を襲うこともめずらしくなくなってしまった。

その里には年寄りしかいないが、年寄りでもいればいいほうで、限界集落がどんどん増えている。

これは、私たちが望んだ日本なのか。

私が生まれた昭和三十年代は、みんなが元気で、よく働いていた。公害やオイルショックによる不況など問題も多かったが、とにかく活気があった。この活気は、どこでしぼんでしまったのか。


三十年代の「モーレツ社員」に代わって出てきたのが「過労死」である。怠け者たちの責任を押し付けられた「誰か」は死ぬまで働かなければならなくなっているのだ。

今さら軌道修正はできないだろうが、日本をこれ以上沈ませないために、どうすればいいのか。

どの現場でも機械化を推進し、高齢者でも能力があれば働ける環境を整えるために税金を使ってほしい。

私は毎日そんなことを考えている。

神行武彦（かんぎょう・たけひこ）
1959（昭和34）年兵庫県三木市生まれ。1987（昭和62）年に土木建築業・神行建設を設立、89（平成元）年に株式会社化して社長に就任。一貫して建設業に従事し、地域の発展に貢献してきたが、経理担当者による5億円の横領事件が発覚し、自身も脱税で取り調べを受ける。2019（令和元）年11月に法人税法違反容疑などで逮捕。2021（令和3）年2月に執行猶予付き有罪判決確定。経緯は『5億円横領された社長のぶっちゃけ話』（清談社パブリコ）に詳しい。

建築屋の憂国　建築現場から考える日本の未来

2024年1月28日　第1刷発行

著　者　神行武彦
発行者　南丘喜八郎
発行所　株式会社　ケイアンドケイプレス

〒102-0093
東京都千代田区平河町2-13-1 読売平河町ビル5階
TEL　03-5211-0096
FAX　03-5211-0097
印刷・製本　中央精版印刷　株式会社
乱丁・落丁はお取り替えします。

ISBN　978-4-906674-84-8
2024 Printed in Japan